新潮文庫

そこに僕はいた

辻 仁成著

新潮社版

5488

目次

本文イラスト　辻　仁成

そこに僕はいた

おく手でかつ、ひねくれ者の恋の行方

恋愛に関して、僕はかなりおく手だったといわざるを得ない。おく手だけであれば、まだ救われたかもしれないが、僕にはそれに、ひねくれた性格がプラスアルファしていたのだ。おく手でかつ、ひねくれ者の僕の恋の行方について、恥を忍んでここで語ろうと思う。

そんな僕にももちろん、初恋はあった。思い起こせばあれは僕が、まだ小学生の頃《ころ》であった。今も忘れはしない彼女の名前は、なかとみえみこ。副委員長をしていた彼女は、女優の高橋恵子を、縮小コピーしたような、知的で美人な小学生だった。

余談になるが、先日、押し入れの中をあさっていたら、当時の写真が一枚出てきた。もう二十年も昔の写真であったが、それほど色褪《いろあ》せてもいず、僕も彼女もちゃんと写っていたのだ。しかし、美人だと思っていたなかとみえみこの顔は、この二十年間思い描いていた感じとはちょっと違っていて、どこにでもいる普通の感じの子だったのである。二十年という歳月が彼女を美少女に変化させていたらしい。まあ、ともかく、僕にとって、なかとみえみここそが、初恋の人であったことに間違いはないが……。

　さて、あの頃の僕は先にも述べたように、かなりおく手であった。他人に対して面と向かって、好きだなどといえるタイプではなかったのだ。どうしてかはよく分からないが、子供の頃の男というのは、大抵女性に対しておく手であるようだ。まあ、僕の場合は極端で、女なんかなんだよ、相手にできるかよ、とカッコ付けていたところがあったのだ。

（子供の頃に女嫌《ぎら》いだった男というのは、どうして大人になるとあーもすけべになるのだろう。僕も自分が信じられない……）

　そんな僕が、なかとみえみこを知ったのは、小学校四年生のときだったと思う。三年生のときから同じクラスだったのだが、彼女を急に意識しだしたのが四年生だったのである。原因はよく分からない。それを成長と人は呼ぶのかも知れないが、小学校四年生のあるとき、僕はふっと彼女を美しい人だと思うようになったのだ。初恋にきっかけなんて必要ないのだと、今僕は分析する。差し出されていたものを食べ続けていた子供が、あるとき、それを美味《おい》しいと感じるように、初恋は、うえつけられるものなのだ。

しかし、僕はおく手であったがために、彼女に思いを打ち明けることができなかったのである。もやもやとした恋心が心の野原に芽を出していたのだが、僕はそれを開花させるすべをまだ知らなかった。好きだ、といえばすんだかもしれないのに、人間というのは何故《なぜ》か、反対の行為に出るのである。特に子供の頃の愛情表現というやつは、実に歪《ゆが》んでいるのがパターンで、もちろん僕の場合も例にもれず相当ひねくれていた。彼女に好かれたいのに、彼女の前に出ると逆のことをいってしまうのだ。嫌い嫌いも好きのうち、というやつである。

好きだといわなくてはならないところで、僕は、「お前みたいな女が一番嫌いなんだ」とか、「ブスだよなー、お前は」などといってしまうのである。そう暴言を吐きながら、僕は心の底で、「ああ、なんとひどいことをいっているのだろう。ごめんなさいなかとみさん」と呟《つぶや》いていたりするのだから始末におえない。

手を差し伸べなくてはいけないときに、つい思い切りぶん殴ってしまうようなもので、おく手で、かつひねくれた者の初恋は、楽ではないのである。

ホームルームの時間、僕は議長であるなかとみえみこを何度となく困らせたことがある。わざとだらしない格好をして、悪い仲間たちと教室の一番後ろで騒ぐのだ。もちろん彼女に注意されたい一心でである。普段は品行方正で大人しい僕も、なかとみの前に出ると、ついワルになってしまうのだ。

するとなかとみえみこは、僕たちのところまでやって来て、「静かにして下さい。ホームルームに参加して下さい」というのである。もうその辺は東映や日活の映画そのもので、僕は吉永小百合にくだを巻く、ごろつきに成り下がっているのだ。

「うるせえな、男の世界に女は口出すもんじゃねえぞ」

ああー、僕はそう口にしながら、なかとみを困らせている自分に胸を痛めるのである。

あれはどういう理由《わけ》だろう。ああいう場面になると、必ず石原裕次郎みたいな二枚目が、すっと現れたりするのである。

「辻くん、好《い》い加減にしなよ」

そういう奴《やつ》は大抵、お金持ちの息子で、ハンカチをちゃんと持ち歩いているようなタイプなのだ。そしてその男を見るなかとみの目が潤《うる》んでいるのを、僕は、見逃さなかった。

偏見かもしれないが、ああいう男が将来成長すると、女の敵になるのだと思う。いや、そうだと僕は思い込みたい。

さて、結局、僕の初恋は打ち明けられずに終わりを迎えることになった。ある日、僕の一家が、北の街へ引っ越しをすることになったのである。小学校五年生の冬のことであった。

二年間も、思い続けた僕の恋は、その心のひとかけらさえも伝えることができずに終わろうとしていた。

最後のホームルームの時間、議長のなかとみは、皆の前で僕に贈る言葉を読んでくれたのである。

「皆ももう知っていると思うけど、辻くんが今日、引っ越すことになりました。いつも元気で明るくて、私たちに優しかった辻くん。新しい小学校に行っても、私たちのことを忘れないで下さい。そして向こうの学校でも、人気者でいて下さい」

僕は、なかとみえみこと一緒に、同じ教壇の上に立っていた。僕のすぐ隣に彼女がいて、僕は今にも泣き出しそうだった。伝えられない思いを胸に秘めて、去っていかなくてはならない自分の身が可哀想《かわいそう》だったのである。

「さようなら、辻くん」

なかとみはそういうと、僕に握手を求めてきた。

差し出された彼女の白い手に、僕のひねくれた性格はまたもや過剰反応を示したのである。黙って握手をすればよかったのに、僕は、彼女の手を握ることができなかったのだ。ひねくれ者の愛の表現だった。

そして放課後、僕はランドセルをしょって、一人、校庭のブランコに座っていた。なかとみを僕は待っていたのかもしれない。彼女をもう一度、目に焼き付けて帰りたかったのだ。そしてできることなら、素直になってその思いをちゃんと告げたかったのである。

十五分ほどブランコに揺られていたとき、クラスの男子生徒が、僕のほうに走って来た。

「大変だあー、辻！　なかとみ、なかとみえみこが、教室でおならをしたぞー」

僕は、次の瞬間にその生徒と一緒に走り出していたのだ。

「あのなかとみが、したって、教室じゃあ大騒ぎになっているんだ」

僕は走りながら、生徒たちに笑われ落ち込んでいるなかとみの姿が目に浮かんでいた。顔を真っ赤にして、うつむいている彼女の痛々しい姿が浮かんでいたのだ。

僕は階段を駆け登り、渡り廊下を走り、彼女のいる教室を目指した。

彼女を救ってあげたいと一心に思っていたのである。最後の最後で僕は彼女の味方になるつもりだった。

ところが、ランドセルを背負って一人寂しく下校しようとするなかとみを見つけたとたん、僕は、とんでもない言葉を叫んでしまったのである。

「なかとみ！　お前、屁《へ》をこいたんだってなー、くせえー奴だぜ」

しかも、めいっぱい意地悪な顔をして……。


人間というのは、そういう動物なのである。ロミオとジュリエットばかりが、初恋のパターンではないのだ。世の男性諸君、君たちにも思い当たる節があるだろう。僕は、あの頃の自分を今、思い返すと、いとおしくてしようがない。女の子の前で顔を赤らめずに、好きだなどといってしまえる今の自分より、何倍もいじらしいのである。

初恋はやはり、いい思い出なのだ。

P.S.　もう二十年以上もの歳月が流れているので、彼女は僕のことなど憶《おぼ》えていないだろうとは思ったのですが、とりあえず彼女の名前を一部変えてあります。心あたりのある方は、あ、私のことだ、と懐《なつ》かしんで頂けたら幸いです。

砂糖菓子の中身

僕は懺悔《ざんげ》しなくてはならない。

友達を利用したことがあるのだ。あれは思い起こせば小学校の二年生のことである。僕は当時福岡市内に住んでいたのだが、近所に大金持ちのご子息がいたのだ。彼が大金持ちの子息であることは学校でも有名で、どれほど金持ちかというと、彼の家は門から玄関までが五十メートルぐらいあったし、部屋数はうちの三倍以上で、ときどき運転手つきの外車が学校まで迎えにきたりしていたのである。でも本人はふわっとしたいいやつで、いつも呑気《のんき》な、悪くいえばまのぬけた感じの少年であった。

逆に僕の家は社宅で、団地の小型版といった感じの建物に一家四人で住んでいたのである。父親は保険会社のサラリーマンで、所謂《いわゆる》普通の平均的な中流家庭だった。どこの家庭もそうだろうが、贅沢《ぜいたく》は敵だったし、財布の紐《ひも》を握る母親はお金に関してはうるさかった。僕にはまだお小遣いなどというものはなかった時代の話である。

それで僕はアリタ君（仮）と一緒に下校しているときこんなことをおもいつくのである。

「なあ、アリタ。俺《おれ》がお前んちに遊びにいったら、きっとお前の母さんはおいしいおやつを出してくれるやろね」

アリタ君は目をぱちくりさせている。

「逆におれんちにアリタが遊びに来るなら、俺のかあちゃんもおいしいものを出すやろうな」

アリタ君はまだ話の要点が分からないらしく、理解しようと必死に僕の顔を覗《のぞ》き込んでいる。

「つまりな、おやつ時にお互いの家を行き来すれば、一日に二度のおいしいおやつにありつけるわけたい」

僕が上目でじっとアリタ君の顔を覗き込むと、彼はやっと察したらしく、こくりと頷《うなず》くのだった。べつに裕福ではない僕の家では三時のおやつなど当然なかったが、たまたま数日前に家に遊びに来た親戚《しんせき》の人が置いていったマロングラッセがあることを僕は知っていたのである。余談になるが、僕はマロングラッセが大嫌《だいきら》いである。高級なお菓子ではあるのだろうが、その高級感がなじめなかったし、第一お菓子にお酒を使うなどもってのほかだと思っていた。とにかく家にはマロングラッセが眠っていたのだ。僕はそれでアリタを釣《つ》るつもりだったのである。

まず、僕たちはアリタ君の家に行くことにした。

アリタ君の家に行くと小太りの女の人がでてきて、僕に深々とお辞儀をしたのである。僕はアリタ君のお母さんかと思って緊張して何度もお辞儀をしてしまったのだが、その人はメイドさんだったのだ。生まれて初めて見るメイドさんであった。

「クキさん、僕の部屋におやつを持ってきてくださいね」

アリタ君がそういうと、その女の人は「はい、ぼっちゃん」というのだった。

僕は内心驚いていたが、それがお金持ちの世界というものであった。

アリタ君の部屋は僕の家の居間より広かった。そこは長い廊下の突き当たりにある部屋で、窓からのぞむ彼の家の庭には大きな黒い犬が二匹寝そべっていた。僕の家はずっと借り家だったので、動物は飼ってもらえなかったのだ。犬がほしいといつもだだをこねていたので、アリタ君が凄《すご》くうらやましかった。でもそれは仕方のないことなのだ。僕はちいさなころ仕方のないことがこの世のなかには沢山存在していることを知っていた。だから僕は頭を使わなくてはならないことも知っていた。

「おおきかうちやね」

僕がそういうと彼はうんと素直に頷くのだ。一軒家に僕は住んだことがなかった。父親はサラリーマンだったので、転勤も多く、大抵は会社の寮であった。

そうしているうちに、さっきのメイドさんがお菓子を持ってやってきたのである。「どうぞ」といって彼女は僕らの前にお盆にのせたお菓子を差し出す。見るとそれはロールケーキとフルーツヨーグルトであった。僕は内心、やった、と叫んでいた。アリタ君はいつも食べ飽きているらしく、何だまたこれかという顔をしていたが、僕だったら毎日、一年三百六十五日食べても文句はいわないお菓子たちであった。

フルーツヨーグルトのほうは僕の記憶がただしければ新発売の「ヨグール」だったと思う。宣伝をテレビでは見ていたが、小学校二年生の僕らには手の届かないお菓子で、当然まだ食べたことはなかった。子供たちの間ではヨグールを食べたかというのが合言葉のようになっていた時期のことで、恥ずかしい話だが僕は夢のようだったのだ。そのヨグールをアリタの家では毎日牛乳のように商店から取っていたのである。いまだにコンビニエンスストアでヨグールを見ると、僕はあのときのあの味を思い出してしまう。実に革命的なおいしさであった。

そして一時間ぐらい僕らはそうしてアリタ君の家のおやつをほおばりながら話し込んだ後、今度は僕の家へ行くことになった。

僕の家にはちょうど母親がいた。

僕はアリタ君を紹介し、

「母さん、アリタ君のうちで御馳走《ごちそう》になったけん、ちょっとおやつよろしく頼むたい」

といったのである。僕とアリタ君は僕の家の狭い居間に座り、おやつが出てくるのを待つことにした。

案の定、出てきたのはマロングラッセであった。テーブルの上にマロングラッセが二つ並んだ。

「これはマロングラッセっちゅうてな、高級なお菓子やけんね」

とアリタ君に釘《くぎ》を刺す僕であった。

そして僕らはテレビを見ながら、マロングラッセを仲良くつついたのである。

翌日、僕らはまた一緒に学校から帰っていた。そして僕はアリタ君をまた誘うのであった。

「また、昨日のつづきばせんね」

アリタ君は余り乗り気ではないみたいだったが、僕には逆らえないみたいで、うん、と頷くのであった。

アリタ君の家に行くと今度はショートケーキとヨグールがでてきた。例のメイドさんがそれらをお盆にのせて運んできたのを見た瞬間、僕は思わず声をあげそうになったのである。やった、またヨグールだ。僕は声を出さずに心の中でそう叫ぶのであった。

「うまかね、こんお菓子は」

そして僕はまたもくもくと食べるのである。

食べおわると今度は僕の家の番であった。僕はアリタ君の手を引いて家にむかうのである。

「母さん、アリタ君たい、今日もまたアリタ君ちで御馳走になってしまったったい。僕の顔ばつぶさんようなおやつよろしくたのむったい」

母さんは一瞬何か怪しむような顔をしたのだが、そうかんたんに尻尾《しっぽ》を摑《つか》まれるほどの僕ではないのだった。

そしてまたマロングラッセが二つでてきたのである。

「何度たべても飽きんお菓子やなかかね」

僕はそういってアリタ君の背中をたたくのであった。

お互いの家を訪問してお菓子をたべあうというこの作戦は、それから数回ほど続いたが、さすがにあるときからアリタ君は僕の誘いをこばむようになるのである。

後で聞いた話だが、アリタ君もマロングラッセが大嫌いだったのである。マロングラッセとヨグール、僕には忘れられないお菓子である。

PS. このエッセイを書いたあと、懐《なつ》かしさにつられてヨグールを買いに行ったのだが、さすがに昔のヨグールとは味が違っていた。それは、僕の味覚が成長とともに変わっただけのことなのだろうか?

僕は彼らのことを憶えている

喧嘩《けんか》友達というのは、やはり一番忘れられない存在である。東京、九州、北海道と転校していく中で、僕には大勢の喧嘩仲間がいた。中学の頃《ころ》は帯広にいて、サッカー部の連中とよく喧嘩をした。一度など、校庭の真ん中で袋叩《ふくろだた》きにあったこともあった。喧嘩で叩きのめされても、しかし僕は絶対学校を休まなかった。休むということはつまり屈することだったからだ。もしあのとき逃げだしていたら、その瞬間僕はいじめを受け入れたことになるのだった。だから、僕は今日まで誰にも負けたことはないと胸をはっていいきることができる。

しかし、生意気だった僕は何処《どこ》へ行っても悉《ことごと》く拒否され、すぐに喧嘩となった。頭を下げるのが嫌《いや》で、年上だろうと食ってかかっていたからだ。あの頃は僕は殴りつけられる前に殴りつけることばかりを考えていたようだ。黙って詰《なじ》られているのは精神的にもよくないので、僕は必ず（負け戦と分かっていても）先に手をだしたのである。

校庭でさんざ殴られた次の日、僕は顔にばんそうこうを貼《は》って登校した。そして昼休み、僕を見に来たサッカー部の連中と廊下でまた、殴り合いをするのだった。僕のパンチは十発に一回ぐらいしか当たらなかったが、僕は負けた気がしなかった。数では勝っていた彼らもそのうち僕には手をだささなくなってくるのだった。いつかは倒してやる、と僕はあの頃毎日そのことばかり考えていたのである。

何時《いつ》だったか学校の外で、その中でもリーダーシップをとっていた男とばったり会ったことがあった。彼は珍しくたった一人だった。僕は真っ直《す》ぐ彼の方を目指して歩いていた。すると彼は僕をさけるようにUターンしてしまったのである。すたすたと立ち去るそいつの後ろ姿を見て、僕はあのとき、勝ち負けなんか下らないということにはじめて気づいたのだった。

小学校の四年生のとき、僕には大の喧嘩仲間がいた。一人は壱岐《いき》から越してきた自然児で、あだ名をシャーマンといった。シャーマンというあだ名はシャーマン戦車からとったもので、（当時僕らはプラモデルにすごく凝っていたのである）彼は学校でもダントツに喧嘩が強かった。もうひとりは、クニヤンといって牛乳屋のせがれで、僕の三倍は太っている奴《やつ》だった。

一番背が低く、腕力的に不利だった僕の当時の得意技は「魔の爪《つめ》」と呼ばれるもので、なんのことはない、伸ばしておいた爪で相手を引っかいたり摑《つか》むものだったが、余り名前ほどには決定的な破壊力を持っていなかった。それに「魔の爪」には決定的な弱点があったのだ。それは相手の身体《からだ》に爪をたてているあいだは、自分の防御がいっさい出来ず、ガードの効かない顔や腹を思う存分殴りつけられるのである。どうだこの野郎痛いか、などとのんきなことをいっているうちに、こっちは気を失いかねない致命的な攻撃をされてしまうのだから堪《たま》らない。よくクニヤンのぷよぷよの顔に僕の爪跡を残したが、歯並びの悪い人の歯形みたいで、けっしてカッコよくはなかった。逆にクニヤンの得意技は鯖折《さばお》りで、僕は何度かそれをやられて気を失ったのである。「魔の爪」は接近戦でしか使えないため、技を掛けるたびに僕はクニヤンの身体で固められ、その度に気を失うのだった。

シャーマンが、壱岐から引っ越して来た日、僕とクニヤンは真っ先に友達になってやるよと、名乗り出たのである。

「仲良くしてな」

シャーマンは僕らに向かって笑顔でそういったのだ。そして僕たちは直ぐに仲良くなり、つぎの日から放課後をともに過ごすようになるのである。

今思い出すと、何処の学校でも一番最初に仲良くなった奴というのは、大抵喧嘩友達になるか、反目しあって一番嫌《きら》いな奴になるものだった。中学のときも、高校のときも、そうだった。クラス替えがあった直後に仲良くなった奴というのは、数か月もするとものすごく仲が悪い間柄《あいだがら》になっていた。逆に初めは嫌な奴だな、と思っていた奴が段々と気が合うことが分かってきて、大の仲良しになるケースも多かった。

僕とシャーマンとクニヤンは、そのパターンとは少し違っていたが、一緒に登校していたのは僅《わず》かに一月ほどで、後は目をあわせると喧嘩をしあう仲だったのである。しかしそれでも、いまだに僕は彼らと喧嘩した日々を薄れゆく記憶の片隅《かたすみ》に大切に持っている。

とにかくよく喧嘩をした。暇さえあれば、僕らはなぐりあっていた。クニヤンとシャーマンがしている喧嘩の仲裁に入って、気がついたら僕がシャーマンをなぐりつけているときもあったし、クニヤンといい合いをしていたと思ったら、クニヤンとシャーマンが取っ組み合いを始めていたこともあったのだ。僕たち三人の共通点はとにかく短気なことだった。

そして喧嘩の原因は大抵すごくつまらないことであった。

「俺《おれ》はやっぱりゼロ戦が一番速いとおもうったい」

クニヤンがやや挑発《ちょうはつ》するようにそういうと、まずシャーマンが鼻で笑いながらそれを否定するのだ。

「ふん、そげんなこつあるもんか、スピットファイヤーにきまっとろうが」

シャーマンは目を細めしかも横目で、更に口元は人を小馬鹿《こばか》にするような歪《ゆが》め方をして、そしてなんと巻き舌でそういうのだった。

僕はといえば、まあまあまあまあお二人さん、といい合いにらみ合う二人の中に割って入り、最初は宥《なだ》める役に回るのである。

「ゼロ戦もはやか、スピットファイヤーもはやか。それでよかやないね。子供じゃあるまいし、そげなことで睨《にら》み合ってからに」

僕は二人の肩をそれぞれ叩きながら、ここは俺の顔に免じて仲直りせんね、などと調停役に徹するのである。

「まあ、でも俺が思うにはゼロ戦もスピットファイヤーもメッサーシュミットにはかなわんたい」

しかし、その調停も最初だけで二人がおとなしくなっていくと僕は急に偉そうな発言をするのである。そして結局、火に油を注ぐのはいつも僕だった。

「ゼロ戦が一番だ」

「スピットファイヤーだ」

「残念でした、メッサーシュミットたい」

そして僕らは気がつくと誰からともなく取っ組み合いの喧嘩になっていくのである。それでは僕らは仲が悪かったのだろうか。いや、そうではない。僕らは凄《すご》く仲がよかったのだと思う。本当に嫌いな奴だったらもうとっくに彼らのことを忘れているはずだからだ。少なくとも僕は彼らのことを覚えている。


シャーマンが越してきて二年近くが経《た》とうとしていた。南の街の冬は意外に寒いのである。冬に対して無防備なために僕たちは冬でも半ズボンで過ごすのだった。シャーマンの父親は暴力団にかかわりがあり、問題があった。酒飲みで短気だったのだ。彼はそんなある日、駅前の居酒屋で人を刺してしまうのだ。どんな原因があったのかはあの頃の僕にはわからなかった。新聞にも載ったので、僕の両親たちも話題にしていたが、組の対立抗争のようなことにまきこまれたのかもしれない。

シャーマンの父親のことは学校でもすぐに話題になった。噂《うわさ》は尾《お》鰭《ひれ》背鰭《せびれ》をはやしてとんでもなくふくらんでしまっていたのである。シャーマンの父親は覚醒剤《かくせいざい》を打っているだとか、香港《ホンコン》に女性を売り飛ばすだとか、人攫《ひとさら》いをするだとか……。

そしてシャーマンは事件があってから少しして学校へは来なくなってしまった。クラスの連中が掌《てのひら》を返したようにシャーマンを避けるようになったからである。いつもと様子が違うことに気づいたシャーマンは登校拒否をしてしまうのだ。

僕とクニヤンだけが、シャーマンのことを心配していたのである。給食のパンを届ける者もいず、（休んだ生徒のパンは近所に住む生徒が届けなければならなかったのだ）彼の机だけがポカンと空いていた。

「よう、辻、どがんする」

クニヤンは放課後、僕にそういってきた。

「友達だからね、やっぱ俺たちでパンを届けんと」

僕がそういうとクニヤンは大きく頷《うなず》くのだった。

僕たちの家からシャーマンの家は随分離れていたのだが、僕らは毎日彼が再び登校するまでパンを届け続けることにしたのである。僕らが訪ねて行くとシャーマンは、風邪《かぜ》をひいた真似をして数度咳《せき》こんでみせるのだった。

「はよう風邪ば治して学校に来いや」とクニヤン。

「お前がいないと張り合いがなくてさ」と僕。

「おお」とシャーマン。

シャーマンの目は少し潤《うる》んでいた。

それから僕とクニヤンは毎日、学校帰りにシャーマンの家にパンを届けたのである。そのうち僕らは彼の家に上がり込み、日が暮れるまで遊ぶようになるのだ。もちろん、取っ組み合いの喧嘩をしながら。

僕はあの頃の三人が一番思い出に残っている。僅か一冬のことだったが。シャーマンは冬が終わる頃に母親とともに何処かへ消えてしまったのである。僕とクニヤンが訪ねて行くと、家はある日突然もぬけの殻《から》だった。


僕は数年前、テレビ局の企画で久しぶりに福岡を訪ねた。それは、僕の生い立ちに触れるという無謀なテレビ番組に出演するためだった。僕が育った高宮《たかみや》や平和街の辺りを歩きながら当時を回想するという内容で、僕はマイクを手にカメラマンの人たちを引き連れて、懐《なつ》かしいあの街を歩き回ったのである。

二十年という時の流れは流石《さすが》に街の姿を容赦なく変えていた。僕が住んでいた父の会社の住宅は取り壊され、ビルが建っていたのである。田んぼも、よく遊んだ駐車場も、お菓子屋も、跡形もなかった。ここにはかつてこんな建物が建っていました、なども僕が懐かしい街並を解説しながら歩いていると、突然クニヤンとシャーマンのことが頭の中をかすめたのである。おかしなものでつい昨日のことのように、僕の頭の中に彼らが鮮明に蘇《よみがえ》ってきたのである。

「すいません、この近くに僕のかつての友達の家があるんですが、訪ねてみていいですか?」

僕がそうディレクターの人にわがままをいうと、

「再会か、面白そうだな」

と、彼はその案に乗ってくれたのだ。

かくして僕たち一行は、僕の記憶を頼りに牛乳屋をしていたクニヤンの家を探すことになるのである。

かつてクニヤンの家の脇《わき》を通っていた筑肥《ちくひ》線は埋め立てられ、今はアスファルトの道路になっていたが、牛乳屋はまだちゃんと残っていたのである。国広牛乳店、看板も当時のままであった。その瞬間僕は一瞬に時を越え、少年に戻っていたのである。

僕らはカメラを回しながら、二十年振りの再会を撮るべくドアを開けていた。しかし、クニヤンはいなかったのである。彼の妻だという女性がクニヤンの子供（まだ小さい子だった）を抱きかかえて店の中から出て来た。

仕方がないので僕らは彼女にインタビューをし、クニヤンがどんなふうに変わったかを聞き出すことにした。クニヤンはなんと今は痩《や》せているのだそうだ。僕は二十年の歳月に胸が張り裂けそうだった。

その夜、僕は生放送のためにスタジオに待機していた。クニヤンは帰り次第例のディレクターが連絡をつけてスタジオに来てもらう手筈《てはず》になっていたのだ。控え室で僕はそわそわして彼を待っていたのである。シャーマンのことや、クニヤンのことが次から次に頭の中を過《よぎ》っていた。

しかし、僕はクニヤンに会うことはなかった。本番直前にディレクターが控え室に入ってきて僕にこう告げたのだ。

「クニヤンって人だけどね、旅行からは帰ってきたんだけどさ、辻さんのことを知らないっていうんだ。覚えていないから今日はスタジオにはこれないということだ」

間違いなく、その人物はクニヤンなのに僕らはその日会うことができなかったのである。僕という存在は彼の記憶の中にはもうなかったのだ。それだけのことだった。

僕みたいに日本中を転校して歩いているものは、一時期のことをよく覚えているものなのである。逆にずっと一か所に止《とど》まって暮らしている人にとっては、僕のような一時期を通過していったものの存在は忘れやすいということなのかもしれない。

「友達だからね、やっぱ俺たちでパンを届けんと……」

そこに僕はいた

思い起こせば、僕には片足の友達がいた。

あの少年とどうして仲良しになったのかは思い出せない。気がついたら僕たちのグループの中にいたのだ。片足の少年の名字は何故《なぜ》かもう思い出せない。あーちゃんと呼んでいたのでそっちの印象のほうが強いのだろう。あーちゃんは右足の付け根から先が義足だった。走るたびに義足の金具の音がきいきいと響いた。僕は最初その音がすごくいやだったのを覚えている。歯医者の治療器具の音のように耳奥を引っかいたからだ。

僕が小学校の三年生ぐらいのことである。あの頃《ころ》僕たちは父親の仕事の都合で福岡に住んでいた。こぢんまりした父の会社の寮に僕ら家族は住んでいたのである。僕はそこでは所謂《いわゆる》がき大将だった。その寮に住む余所《よそ》のうちの小さな子供たちを集めては、陣頭指揮をとり、裏の広場に大きな穴を掘ったり、車の排気管に石を詰めさせたりして遊んでいたのだ。思いつく限りの悪さをした。僕の考えだす悪戯は小さな子供たちの旺盛《おうせい》な好奇心を十分に満たすもので、そのグループは僕を中心に結束が強かったのだ。

あーちゃんもそのグループの中にいたのだが、しかしあーちゃんの家は寮の中にはなかった。あーちゃんの家は二ブロックほど離れたところにある一軒家であった。あーちゃんが僕たちと遊ぶようになってまもなく、小さな子供たちの母親の一人が僕のところへやってきてこういうのだった。

「あの子はね、身体《からだ》が不自由なんだから、一緒に遊ぶときは気をつけるのよ。もしものことがあったら皆の責任になるんだからね」

僕は聞き返した。あの子とは遊ばないほうがいいわよ、と聞こえたからだ。

「どうして？　あの子と遊んじゃいけなかとですか？」

その人はちょっとばつが悪そうな顔をして、

「そうじゃないけども、もしも事故でもおきたら大変でしょ。ぼくは責任とれるの」

といい捨ててそそくさと去るのだった。同じような意味のことを僕は他の人からも二、三度聞かされた。僕はそれ以来その言葉が持つ意味を抱えて一人複雑な気分になったものだ。両親にも相談出来なかった。もし相談して自分の親があの女性と同じようなことをいったら、と考えると足踏みをした。いまだにあの女の声は僕の耳奥に焼きついている。何だかむかむかするざらついた感触をともなって。

しかしあーちゃんは無頓着《むとんじゃく》というのかおおらかというのか、そんな雑音など一切気にすることのない元気な性格を持っていたのだ。そして更にあーちゃんは人一倍負けず嫌《ぎら》いでもあった。その負けず嫌いのせいで僕は彼とときどきしっくりこないこともあったのだが。

「さっきそういったやなかね」

「いや、いわん」

「いったったい、俺《おれ》はちゃんとこの耳できいたもん」

「どん耳でや、その尖《とが》った耳でな」

僕たちはそんなふうにしょっちゅういい合いをしていたのである。彼はいったん首を真横に振ると絶対にうんとはいわなかったのだ。転んだときも、僕らが差し出す手には絶対頼らなかった。引っ繰り返るほど転倒したときも彼は、痛々しいほど時間をかけて一人で起き上がるのだった。他人を信じていないというような感じではなく、むしろ何よりも自分を信じているという力強さがそう行動させているようだった。

　あるとき、僕たちは社宅の裏にある小さな山の斜面の木の上に基地を作ることにした。僕たちは僕を先頭に一列になって山を登っていた。斜面には草が生えていて、何度も足を取られた。転ぶ子もいるほど斜面は急だったのである。途中まで登ったとき、僕の二歳年下の弟が僕の背中を叩《たた》いた。

「兄貴、あーちゃんが……」

　見ると、あーちゃんは斜面の下の道端に立ってじっと僕らの方を見上げていたのだ。彼にはちょっと登るのは難しかったのである。弟が小声で、どうする？　と聞いてきた。小さな子供たちも僕の方を見ていた。僕は小さくため息をついた。

「ちょっと行ってくる」

　僕は弟にちびっこたちを任せて、あーちゃんのところまで滑り降りていった。あーちゃんは僕の顔をじっと見ていた。僕はあーちゃんの足のことも考えずに山を登ってしまったことでちょっと心が恥ずかしかった。

「すまんかった」

　僕が素直にそういって手を差し出すと、彼は目をぱちくりさせたのだ。

「なんで謝るとや。それになんなその手は」

　僕はそれ以上は何もいえなかった。

「今日はこれから親戚《しんせき》の人んちへいかなならんけん、皆とは遊べんと。そのことばいおうとおもっとった」

あーちゃんはそういうと、くるりと背中を見せて帰って行った。僕は差し出していた手を引っ込めて、身体を斜めにしながら一本道を歩く彼の後ろ姿を見つめていたのだ。

それからというもの色々なことが頭の中に渦巻《うずま》いて、あーちゃんと遊ぶときは僕はすごく神経を使うようになっていった。かんけりはしないことにしたし、駆けっこも止《や》めた。人気のあった草スキーも暫《しばら》く中止にしたし、木の上に作ろうとしていた基地は広場の焼却炉の裏に変えた。彼の身体のことを考えれば当然のことだったが、まだ子供だった僕には何だか気が重い判断ばかりでもあった。あーちゃんさえいなければ、もっといろんな遊びが出来るのにと考えては自分のそんな醜い思いに辛《つら》くなるのだった。そして広場に彼の姿を見かける度に憂鬱《ゆううつ》になり、また気が重くなるのだった。

そんなあるとき、僕はあーちゃんが投げた石が目に入り危うく失明しそうになったことがあった。そのとき広場は日が暮れだしていて暗くなりかけていたのだ。僕たちは敵味方に分かれて石投げ遊びをしていたのである。あーちゃんは僕を狙《ねら》ったわけではなかった。僕の前にいた弟を目掛けて投げたのだ。石投げのルールは絶対顔を狙わないというものだったが、彼の場合義足のせいでバランスがとれなかったのである。僕の前にいた弟はあーちゃんの投げる石を難なくよけたのだが、僕はその暗さのせいも重なって避けることができなかったのだ。弟が身体をひねった瞬間、僕の目には一瞬あーちゃんの姿が見えた。そして、次には僕の目に石がささったのである。石を投げた張本人は僕に謝りもせず、痛さで転げ回る僕をただじっと見下ろしているだけだった。

その後が大変だった。僕はすぐに皆を解散させ、弟とうちへ戻ったのだ。目はずきずきと痛かったが、そのことは親には内緒にしておけよと弟に釘《くぎ》を刺した。石投げという危ない遊びをしていたことを両親に咎《とが》められたくなかったこともあったが、もしもそれがあーちゃんが投げた石のせいだと知ったとき僕の両親や他の子供たちの母親が取るだろう態度が気になったからでもあった。しかし、痛みは引くどころかますますひどくなり、子供部屋で唸《うな》っている僕を心配した弟が親にばらしてしまうのだ。僕は直《す》ぐに病院へ運ばれ治療を受けた。白目のところがぺろりと剝《は》がれていたのである。医者はあとちょっとずれていて角膜に触っていたら間違いなく失明だったよと説明するのだった。

そしてそれから暫くのあいだ僕は眼帯をつけてすごすことになった。しかし、あーちゃんときたら僕の眼帯姿には一言も触れず、またいつものように遊びに参加してきたのである。まるで自分がやったのではないといわんばかりの態度であった。弟が何かいおうとしてあーちゃんに詰め寄ったが、何故だかわからないが気がつくと僕はそれを制していたのである。片方の目を塞《ふさ》がれたことで、僕には違う何かが見え始めていたのだ。そして僕たちは何もなかったかのようにまた日暮れまで遊ぶのだった。

やはりあーちゃんといっしょに遊ぶことは気が重かったのだが、月日が流れるうちにそれは苦痛ではなくなっていた。彼の義足の金具の音も気にならなくなっていたのである。あーちゃんが僕らの仲間になってどれくらいの時間がたった頃だろう。僕たちは近くの田んぼに蛙《かえる》を捕りにいったのだ。田んぼは通過した台風のせいでぬかるんでいた。ちょっとした窪《くぼ》みがあって、あーちゃんはそこに足をとられたのである。泥《どろ》の深みにはまって抜け出せず悪戦苦闘しているあーちゃんに、僕は本当に自然に手を差し出していたのだ。彼がハンディを背負っている人だという意識など微塵《みじん》もなかった。僕の手は彼の前にごく自然に差し出されていたのである。

すると不思議なことにあーちゃんの手が僕の手を握ってきたのだ。僕は力任せに彼の身体をひきずり上げるのだった。

「ありがとう」

あーちゃんがそういったので、僕はただ照れるしかなかったが、あーちゃんのそんな言葉を聞くのははじめてのことでとても嬉《うれ》しかったのである。

そしてそれから更に月日が過ぎたある日、僕はずっと気になっていたことをあーちゃんに聞いてみたのである。小さな子供たちが母親たちに呼ばれて家路についた後だった。広場には僕とあーちゃんと僕の弟しかいなかった。

「あーちゃんは、どうしてそうなったと」

僕はあーちゃんの義足を指差してそう聞いたのだ。どうしてそんなことを聞いたのか僕にはあのときの自分の気持ちを思い出せない。差し出した手のような自然の質問だった。

「これね」

あーちゃんは自分の足を見てそして笑うのだった。

「電車にはねられたとたい」

僕の横にいた弟が大声を上げた。

「電車にね？」

あーちゃんは頷《うなず》く。

「なして、電車にはねられよったと」

今度は僕が聞いた。

あーちゃんは少し考えたあと再び笑顔でいうのだった。

「子猫《こねこ》ば助けようとしたったい」

「子猫？」

僕と弟は殆《ほとん》ど同時に声を上げた。

「うん、まだ俺がちいさかときに、子猫が線路に飛びだしたとよ。ちょうど遮断機がおりようときで、見たら電車がその子猫に向かってせまりよった。あっ、と叫んだ瞬間には俺の身体は踏切の中へもぐりこんでいたったい」

僕らは黙っていた。少しして弟があーちゃんに聞き返す。

「そんで？」

あーちゃんは笑っている。

「そんだけさ。気がついたら、はね飛ばされとった」

僕はあーちゃんの義足のほうの足を見おろしていた。えもいわれぬ痛みが心の中を駆け抜けていく。自分の足だったら、という想像が僕を包み込む。

「子猫はどげんしたね」

僕が暫くして聞くと、彼は笑って首を真横に振るのだった。

僕と弟は暫く言葉を失ったままだった。何かをいいたかったが纏《まと》まらなかった。ただ、何故かあーちゃんが凄《すご》く好きになりはじめていたのである。

綺麗《きれい》だった夕焼け空は夜の暗さに呑《の》み込まれはじめていて、失敗した水彩画のごとく黒く滲《にじ》みだしていた。

「さわってみるかい？」

僕がじっとあーちゃんの義足のほうの足を見つめていたら、突然彼がそういってきたのだ。彼は微笑《ほほえ》んでいたが僕と弟は驚いた顔を隠せなかった。

「いいの？」

そういったのは好奇心旺盛な弟だった。

あーちゃんは右足を投げ出すと顔色一つ変えず僕たちの前でズボンの裾《すそ》を捲《まく》ったのだ。靴下《くつした》の上に肌色《はだいろ》の木が現れたときには、僕も弟も思わず声をのんでしまった。

あーちゃんの笑い声だけが、広場に響いていた。

そして僕たちは暗くなっても何時《いつ》までも帰ろうとはしなかった。それぞれの思いをかかえながらそこに座り込んでいたのだ。まもなく母親の僕らを呼ぶ声が聞こえてきた。

ＰＳ．　余談になるが、僕はその後一度だけあーちゃんの義足を叩かせてもらったことがある。こんこんというかわいた木の音がした。叩いたあと、彼の顔を急いでみると、例の笑顔でニコニコ笑っていたのだ。今、彼はどこの街を歩いているのだろう。僕はいまだに、あの義足の感触が忘れられない。

新聞少年の歌

小学校の中学年の頃《ころ》、僕はがき大将で毎日近所のちびっこたちを引き連れて遊び回っていた。縄張《なわば》り意識が強くて、僕らは自分たちの町内をその統治下においていた、つもりだった。放課後になると、裏山に作った基地（斜面に生えた大木の枝に板切れや鉄材をくくりつけて作った掘っ建てだった）に集まっては、攻めてくるかもしれない敵を想定して、僕らは石投げの訓練を積んでいたのだ。

はじめてあの新聞配達の少年を見たのは、その基地を建設しおわった直後の頃のことである。見張りに立っていた弟が大声で僕を呼んだのだ。

「兄貴、なんか変なのが走りよう。どがんする」

僕は弟の指さすほうを見た。肩から新聞をぶら下げた少年（多分小学校の高学年か、中学の一年生ぐらいだと思った）が、一軒一軒の家に新聞を放《ほう》り込みながら走っているのである。新聞配達の少年の存在は知っていたのだが、こうやって意識してまじまじと見るのは初めてのことであった。彼は僕らが見守る中、背筋を伸ばしてすっと下の道を通り過ぎていってしまったのである。

翌日も彼は同じ時刻にそこを通過していった。やはり肩から吊《つ》るしたたすきに新聞を山盛り入れて、彼は一軒一軒にそれを放り込んでいくのだ。僕はその姿に何か心を動かされていたのだが、沢山の子分たちの前で彼を褒《ほ》めるわけにもいかず、つい心にもない行動をとってしまうのである。

そう、僕は彼目掛けて石を投げつけたのだ。

「皆、あいつは敵たい。敵のスパイに間違いないったい」

小さな子供たちは僕のいうことをすぐに信じて、同じように彼目掛けて石を投げつけはじめたのだ。新聞少年は投石に気がつき、立ち止まると僕らのほうを一瞥《いちべつ》した。しかし、石を避けようともせずじっと僕らのほうを睨《にら》みつけるのだった。幾つかの石が彼の足にあたったが、彼は逃げようとはしなかった。

「やめ」

それに気づいた僕はちびっこたちに石投げをやめさせた。子供たちは石を投げるのをやめ、僕の次の命令を待っていた。僕と新聞少年はそのとき初めて対峙《たいじ》して睨みあった。鋭い目をした強そうな男だった。僕たちが黙っているとまもなく彼は走りだすのである。

それからもときどき僕らは彼を見つけては威嚇《いかく》攻撃をした。そのたびに彼は立ち止まりじっと僕らを見すえるのだった。その目は鋭くかつて見たことのない動物的なものだった。

新聞配達という行為が悪いことではなく、むしろりっぱなことであることはあの頃の僕でもちゃんと理解はしていたつもりであった。僕だけじゃなく、弟やちびっこたちもちゃんと知っていたはずだ。なのに僕が彼に石を投げたのは、多分彼の存在が気になっていたからなのだろう。新聞を少年が配達するということが一体どういうことなのか、僕はすごく興味があったのだ。

それから少しして、僕らが社宅の門のところでたむろして遊んでいると、彼が突然門の中へ走り込んできたのである。がっちりとした身体《からだ》をしていて、僕より五センチは背が高かった。僕は直《す》ぐに彼と目が合い、睨み合ってしまった。そのとき、ちびっこの一人がいつもの調子で彼に向かって石を投げつけてしまったのである。石はそれほどスピードはなかったのだが、少年の額にあたってしまった。そして少年はそのときはじめて僕らに抗議をしたのである。

「何で石ば投げるとや。俺《おれ》がなんかしたとかね」

身構えるちびっこたちを僕は慌《あわ》てて制した。そして少し考えてから聞き返した。

「なんばしよっとね」

僕は新聞のつまったたすきを指さして聞いてみた。

「新聞配達にきまっとろうが」

「そうやなか、なんで新聞ばくばりよっとか知りたかったい」

僕は彼にぐいと睨みつけられて怯《ひる》みそうだったが、ちびっこたちに示しがつかないのでじっと堪《こら》えていたのである。

「なんでって、お金んためにきまっとろうが。お金ば稼《かせ》いで、家にいれるったい。うちはお前らんとこみたいに裕福やなかけんな」

「ゆうふく？」

弟が横から口を出してきた。

「ああ、うちは貧乏やけん、長男の俺が働いてお金ば稼がんとならんとよ。お前らみたいに遊んでるわけにはいかんっちゃ」

彼のその言葉は僕の胸にびんびんと響いた。自分のことを貧乏といいきる彼がなぜか自分たちとは違う大人に見えたのだ。

「わるいけどな、これからは俺の配達のじゃまばせんどいてくれんね。もし、邪魔するようだったら、こっちも生活がかかってるけんだまっちゃおかんばい」

彼はそういうと石を投げつけたちびっこを押しのけて新聞を配りはじめるのだった。

僕は何故《なぜ》かいいようのないショックで、それから数日考え込んでしまった。僕は昔から考え込むタイプだったようだ。あのとき僕は新聞配達の少年を実は心の何処《どこ》かで尊敬していたのだと思う。自分を彼に投影しはじめていたのだ。

それから数日して僕は社宅の門のところで彼を待ち伏せすることになる。子分たちは引き連れず、僕ひとりであった。そして夕方、いつもの時間に彼は新聞を抱えて走り込んできたのである。

「よう」

彼は僕を見つけると、そう声をかけてきた。

「今日はぞろぞろいないのか、子分たちは」

僕は大きく頷《うなず》いた。

「今日はちょっとさしで話があるったい」

「なんね」

新聞少年は眉間《みけん》をぎゅっと引き締めて僕の顔をまじまじと覗《のぞ》き込んだ。僕は唾《つば》を呑《の》み込んだ。

「実はあれから真剣にかんがえたっちゃけど。俺も新聞配達やらしてくれんかとおもうてさ」

新聞少年の顔がほころんだ。

「君がや」

僕は真剣な顔つきで頷いた。

「だめやろか」

新聞少年は首を振る。

「いいや、でもお前が考えているよりずっと大変なことたい。そんでも途中で投げださんで続ける自信があるっちゅうなら、話をつけてやってもよかたい。ただな、いい加減な気持ちでやるとやったら、俺がゆるさんけんね」

僕は彼にはじめて微笑《ほほえ》んだのである。

そしてその日の夕方、僕は彼に連れられて近くの新聞の集配所に行ったのである。初めての経験で僕はすっかり緊張していた。集配所は活気があって沢山の少年たちで溢《あふ》れていた。みんなたくましく真っ直ぐの目をした連中ばかりであった。僕は彼に仕事の段取りを説明されながら暫《しばら》くその場を観察していたのである。それから僕は彼に紹介されたそこのボスにお辞儀をした。ボスは笑顔のたえない人で、一言、がんばるんだよ、といっただけだった。しかし、その言葉はかつてどんな大人たちが僕にかけてくれた言葉よりずっと僕を大人として扱ってくれるものだった。そして僕は次の週頭から新聞を配ることになったのである。僕が自分で決めた初めてのアルバイトであった。

しかし、結論からいえば、僕は次の週頭から新聞を配ることはなかったのである。その晩、僕は食事の席で両親にその事を、やや自慢するようにいったのだが、突然父親に怒鳴られてしまうのだ。

「俺はお前にそんな苦労をかけさせているのか。貧しい思いをさせているのか」

母は黙っていた。僕は褒められるだろうと思っていたので、父の怒鳴り声は予想外の出来事だったのだ。何時《いつ》だったか勤労少年のドキュメンタリーテレビをみながら父が目頭を濡《ぬ》らしていたのを僕は見て知っていたから、彼のその行動はまったく理解することができなかったのである。そして余りの剣幕に僕は逆らうこともできなかった。

結局、母が次の日新聞の集配所に出向き、僕の初めてのアルバイトは夢と消えることとなった。父は体面を気にしたんだ、と僕は後で考えた。新聞を背負わせて小さな子供を働かせていると、同じ社宅の人たちに何と思われるか分からなかったからだろう。

そして僕は次の日から新聞配達の少年をさけるように遊ぶことになるのである。

中学時代を僕は北海道ですごしたが、やはりこっそりと新聞配達をする友達がいた。（一三二ページ参照）僕は彼らを見ながら新聞配達というアルバイトにずっと興味を持ち続けていくのである。

僕がその念願を果たすのは高校に入ってからであった。僕が函館西高等学校の柔道部に席をおいていたときの話である。

当時、岡田さんという柔道部の先輩が週に一度稽古《けいこ》をつけに来てくれていたのだが、その先輩の家が新聞の集配所をしていたのだ。高校二年の夏休みだった。

「辻、お前アルバイトやらないか。足腰を鍛えるのにもってこいの練習があるんだが。ちょっとした小遣い稼ぎにもなるしな。どうだ、夏休みの間だけでもやってみないか」

先輩はアルバイトが止《や》めて人手不足になると、そうやっていつも柔道部の部員をかりだしていたのだ。僕は、念願の新聞配達をやれるということもあって、二つ返事でそれを引き受けたのである。

僕が受け持つ地区は自分の家の周辺で宝来町《ほうらいちょう》から青柳町《あおやぎちょう》にいたる四百軒ほどであった。夏休みの間だけの約束だったが、仕事は想像していたよりもずっと大変であった。柔道をして身体を鍛えていた僕でさえ、翌日には足の筋が痛むほどだった。雨の日も風の日もそして台風の日も新聞少年は休むわけにはいかないのである。僕はたすきにいっぱいの新聞を抱えて坂の多い函館の街を噴き出す汗を拭《ぬぐ》いながら走り続けた。

新聞を一軒一軒の家に放り投げていた僕の頭のなかで、福岡のあの新聞少年のいった言葉が蘇《よみがえ》っていた。

「いい加減な気持ちでやるとやったら、俺がゆるさんけんね」

そしてその言葉は今でも僕の心の中できえることなく反響している。

ゴワスが行く

小学校のときというのはどうしてあんなに変な奴《やつ》が多いのだろう。振り返ると小学校時代ほど変な奴が溢《あふ》れていた時代はない。奇人変人のオンパレードなのである。大人になると皆だんだんまともになっていき普通になってしまうのが残念だ。人々が子供の頃《ころ》のままだったら社会はもっと純粋でもっと感覚的でもっと愉快だったはずである。

僕が小学校の五年生の春、鹿児島から一人の変な転校生がやって来た。

彼は新道孝之という、先祖が武士だったのかと思うような名前だったが、それが余りに似合わなかったので、すぐに僕らは彼のことを「ゴワス」と呼ぶようになるのである。頭の形が落花生に似ていたので、始めの頃皆はピーナッツアタマとか豆男などと呼んだりもしていたのだが、三か月もすると鹿児島の方言に因《ちな》んで、自然に「ゴワ

ス」に落ちついてしまったのだ。(もっと分かりやすくイメージだけ伝えれば、ウッディ・アレンの子供版といった顔だちだった)

とにかく「ゴワス」は変わり者であった。あの頃僕はいろんな連中と出会っていたが、彼ほどインパクトの強い変な奴は見たことがなかった。そして彼が変な奴であることはその日の給食の時間には誰もが皆知ってしまうのである。

給食係が給食を配りおえて、級長が頂きますをいった直後に、教室の後ろの方でざわめきが起こったのである。慌《あわ》ててそっちのほうを振り返ると、ゴワスが何やら銀色に輝く金属のボールを両手で握りしめて大きくふりまわしているのだった。僕らはたちあがって彼のほうへ近づいてみて、始めてそれがシェーカーであることに気づくのである。

ゴワスは周りの驚きを余所《よそ》に、シェーカーを一人振り続け、そして数分振ったあとにシェーカーの蓋《ふた》をあけ、どこからもちこんだのか、プラスチックのコップに中の牛乳を注《つ》ぐのだった。そしてその瞬間また教室には驚きの叫び声が上がるのである。

なんと牛乳はコーヒー牛乳に変化していたのだった。

ゴワスは覗《のぞ》き込むクラスの連中を、得意気な眼差《まなざ》しで一巡し、勝ち誇った顔をしてからそれをみせつけるようにぐいと飲み干すのである。よくみると彼の給食のトレーの上にはシェーカーの他にもいろんな小道具がのっかっていたのだ。旅行用と思われる小さなびんにはドレッシングや、ジャムや、スパイス類が詰まっていたのである。

僕らの騒ぎがなかなか静まらないので様子を見にやって来た担任の井上先生は、ゴワスの前に置いてあるコップの中の牛乳が変色しているのに驚き、目を見開くのであった。

「新道君、これはいったいどうしたことだね」

井上先生は気の優しい先生で、生徒を怒る前に必ず事情を聴く人だったのだ。ゴワスを囲む人だかりはどんどん膨らみ今やクラス全員がこの珍事を覗こうと集まってきていた。

「ど、ど、どうって先生、何か問題あるとですか?」

ゴワスがそういうと、僕たちは皆さっと先生の顔色を窺《うかが》った。あの年頃の子供は何でも大人の顔色をみて世間の善し悪《あ》しを判断するところがあったのだ。僕たちは先生がどういう態度に出るのか注目したのである。先生は甚《はなは》だ困っているようだった。太い眉毛《まゆげ》が上下にゆれるのだ。

「そんなものを持ってきちゃいかんな。皆同じものを食べているんだ。一人だけ勝手なことをするのはここでは許されないことなんだよ」

やっとの思いで先生が半分以上あきれはててそういうと、ゴワスは平然とした顔でこういうのであった。

「せ、先生、お言葉ば返すようですばってんが、僕は前の学校でもずっとこげんしてきたとです。な、なぜなら、僕は白い牛乳が飲めないからであります」

先生はそこでうーんと唸《うな》るのであった。

「さ、更に、このドレッシングやスパイス類は、給食のおばさんたちの味付けがあまり僕の口に合わなかとです」

先生は更にうーんと唸るのであった。

「ま、前の学校では認められていたので、ここでもいいかなと思ったとですが、いけませんか？　な、なんなら、前の学校の工藤先生に問い合わせてみて下さい」

井上先生はそこで額に手をあてて暫《しば》し言葉をさがしている様子であった。

「わかった。一度その工藤先生に問い合わせたほうがいいみたいだね。あとで、君のお母さんにもちゃんと話をすることにするよ。さあ、皆、席に戻って早く給食を食べなさい」

先生はそういうと、皆の身体《からだ》を押して席につかせようとした。僕らはおとなしく席に戻ったが、皆給食を食べながら、じっとゴワスのほうを奇異な目で観察するのであった。

そして、ゴワスには更に大きな問題が潜んでいたのだ。すぐに知ったかぶりをしたのである。本当は何も知らないくせに、すぐに知ったような口をきくのだった。

「あ、それ知っとう。よく知っとうばい」

彼は人の話にそういって割り込んでくるのだった。そしていつも知ったかぶりをするのである。はじめのうち皆はゴワスのいうことを信じて、何でもよく知っているんだね、などと感心していたのだが、時がたつうちに彼のいうことが全部でたらめであることが分かるに及び、誰も彼のはなしに耳をかたむけなくなるのだった。それどころか彼がちかづいてくると皆黙ってしまって視線を逸《そ》らすようになるのである。

いつだったか、僕が教室の後ろでシャーマンとクニヤンと三人で話していたとき、突然ゴワスが割り込んできたことがあった。

「何の話?」

僕らは西鉄ライオンズのことを話していたのだが、誰もそのことをゴワスにはいわなかったのである。

「ねえ、何の話ね」

それでもゴワスは自分が仲間外れにされていることには気づいていないようだった。それで僕はいっちょからかうつもりでこういったのである。

「コンダラ、の話たい」

勿論《もちろん》、僕らが話していたのはそんな話ではない。

「コンダラ？」

「そうたい、コンダラたい。僕らはねコンダラの話ばしよったたい」

ゴワスは目を見開いて僕の話に耳を傾けていた。

「ほら、巨人の星のさオープニングでさ、テーマ曲が掛かろうが」

そういうと僕はその部分を歌って聞かせるのである。

おーもーいーこーんだーらー、しーれんのぉみちぃをー、いくがー、おとこのー、どこんじょおー、

「知っとろ、こん曲」

ゴワスはすぐに、勿論たい、と頷《うなず》く。

「そのコンダラたい、ほら画面で星飛雄馬がひっぱりよろうが」

ゴワスはじっと僕の顔を見つめている。僕はゴワスが引っ掛かるのをじっと待っている。

「曲にあわせて星飛雄馬が画面の中で重いコンダラば、ぐいぐいおしよろうが。あれがね、どげん重かもんかって話しよったったい。物知りのゴワス君なら知ってるやろうね、当然」

僕もシャーマンもクニヤンも吹き出しそうなのを必死で堪《こら》えていたのだ。

ふっとゴワスの顔が明るくなったかと思うと、突然、「あーあれんこつね」といいだしたのだ。彼の頭の中で、テーマ曲と絵が一致したようだった。

「コンダラのことたいね。何だそうならそうとはよういってくれんね。勿論知っとうばい。グランドでひきようあのコンダラやろ。あれは重かよ。ぼくはようコンダラばひきよったもんね。コンダラの鬼とさえいわれたこつもあったったい。あれは重かもんたい。だから星一徹は飛雄馬にひかせたとやろ」

僕らはそんなふうに適当な話を作っては、暇なときにゴワスをからかうのだった。

そんな訳でゴワスは転校そうそうに、クラス中の連中から変わり者のレッテルをはられてしまうのである。転校を何度か経験してきた僕にいわせれば、転校生は余り最初から目立たないほうがいいのだ。ゴワスのように目立つと、いやがおうでもいじめの対象になってしまうのである。一度目をつけられると、なかなかそこから抜け出すことは難しい。気がついたらクラスのいや学校中のなぶられものになっていたということもあるのである。

そんなある日、ゴワスに火の粉がふりかかることになる。

隣のクラスのいじめっこたちに目をつけられたのだ。ゴワスの噂《うわさ》はひとづたえに学年中の生徒たちの耳に届いていたらしく、ある日番をはっていた隣のクラスのゴンドウが子分を引き連れてゴワスを見にきたのである。

「知ったかぶりのゴワスっちゅう奴はどいつだ」

ゴンドウは僕らの前に来て、えらそうにそういうのだった。ゴンドウは一度シャーマンと死闘をやって勝ったことがあり、それ以来、僕らのクラスを支配した気になっているという仕方ない奴だった。

シャーマンは黙っていたが、傍《そば》にいた誰かが問題がおきるのを警戒してゴワスをおとなしく指さすのであった。ゴンドウは不気味な笑いを浮かべてゴワスの前にいく。クラスの連中の中に緊張が走る。ゴワスだけが気づいていない。そしてゴンドウはゴワスに向かって、クラス中にひびくような大声でいうのだった。

「よう、君が知ったかぶりのゴワス君か」

僕らはじっと成り行きを見ていた。ゴワスは机の上に家から持ってきたミニチュアの自動車を並べて遊んでいたのである。立ちふさがるゴンドウを無視してゴワスは遊びつづけている。

「おい、新米。ゴンドウさんに挨拶《あいさつ》せんね」

横にくっついていたこばんざめが脇《わき》から口を挟《はさ》む。しかし、ゴワスは相手にしなかったのだ。

すると突然ゴンドウはゴワスの髪の毛をひっぱったのである。

「い、いたかったい」

ゴワスが大きな声をあげるが所詮《しょせん》力ではゴンドウには勝てない。

「なんばするとね、いたかやなかね」

しかし、ゴンドウは止《や》めなかった。ゴワスの口から唾液《だえき》が零《こぼ》れていく。女生徒たちの間から、止めなさいよ、という声と、やだ汚い、という声が同時にあがる。

「俺《おれ》の声が聞こえんちゅーわけやなかやろ」

ゴンドウはそういうと更にゴワスの髪の毛をひっぱりあげた。ゴワスの身体が海老《えび》ぞっている。クラスの連中から同情と非難の声があがりはじめる。

そして僕らは見るに見かねて立ち上がるのだった。

「やめとかんね」

最初に声をあげたのはシャーマンだった。

「いいかげんにせんね」

次に声をあげたのはクニヤンだった。

僕ら三人はゴンドウの後ろに立ち、彼を囲んだのだ。

ゴンドウは手を離し、僕らのほうを振り返る。こばんざめはゴンドウの後ろに立つ。

クラス中に緊張感が走る。一触即発の状態であった。

「おい、誰に口きいてんのかわかってんだろうな」

こばんざめが横から口をだしたその瞬間だった。

僕らの前にゴワスがすっと立ちはだかったのだった。そして彼はゴンドウを指さして叫んだのである。

「そ、そこの変な顔の奴にきまっとろうが」

僕は心の中で、あちゃーと叫んでいたのだが、乗り掛かった船だったので、じっとこらえることにしたのだ。シャーマンもクニヤンも困った顔をしていたが、今更後に引くわけにはいかずやっぱり堪えていたのである。ゴワスは僕らをバックに胸をはって敢然と悪に立ち向かう正義の味方になりきっているようだった。

「どこの極道《ごくどう》かはしらんばってん、ここでは、そげんものはつうじんとよ。暴力には絶対、この新道孝之はくっせんばい」

僕はそのときのゴンドウの顔が忘れられない。めんたまひんむいてゴワスをにらみつけるあの顔はまさに地獄の閻魔《えんま》大王のそれだった。あの瞬間皆の前で恥をかいた彼を僕らは敵にまわしたのだった。

その日は、それで時間切れになり、授業のチャイムとともにゴンドウはおとなしく引き下がっていった。

教室からでるゴンドウを見送った後、ゴワスは僕らのほうを振り返って、礼をいうのかと思えばこういったのである。

「四人で力を合わせれば、こわいものもなかね」


井筒先生はチョークを投げるので有名な先生である。それでついたあだ名がチョーク投げの井筒であった。

ここぞ、ひそひそと話し声が聞こえると黒板にそれまで何か書いていたにもかかわらず、いきなり振り返り、持っていたチョークを声のする方角へ投げつけるのだった。これがまた天才的にうまいのだ。大リーグの選手でもこれほどの確率であてることは難しいはずなのに彼は百発百中当ててしまうのだった。

僕とシャーマンは大抵一番後ろに座っていたのだが、よく授業中お喋《しゃべ》りをした。勿論、チョークが飛んできた回数は一番多いはずだ。そしてそれは今まで全部どちらかにあたっていたのである。

先生は面白いことにチョークを投げることは投げるのだが、投げた相手を睨《にら》みつけたり怒鳴りつけたりすることはなかった。投げたことで怒りをあらわしていたつもりなのだろう。そして投げられた相手もそれで十分びびってしまうのでそれ以降静かになるのであった。へたに怒られるより、チョークを投げたあと顔色一つ変えずにもくもくと授業を続ける井筒先生の存在は不気味であった。

ところが、その井筒先生にチョークを投げかえした男がいたのだ。そう、ゴワスである。

それは、ゴワスがまだ転校してきて間もないころだった。チョーク投げの井筒を知らなかったということもあったが、いくら知らないにしても先生に向かってチョークを投げかえす奴など聞いたことがない。

ゴワスは何を思ったか投げつけられたチョークを拾い上げ、井筒に投げかえしたのである。

ちょうど、井筒が黒板に何か書いている最中だったが、チョークは彼の頭に命中し、床におちたのだった。こん、という音がしんと静まり返った教室に響きわたった。僕らは固唾《かたず》をのんだ。先生は何かをじっと堪えているようだった。黒板のほうを見たまま暫《しばら》く動かなかったのである。チョークを持っていた手がわなわなと震えているのが僕の場所からも見えた。血の雨が降ると誰もが思っていたのである。ところが、何も起こらなかった。先生はそこで授業を中止して、黙って教室を出ていってしまったのだ。

そして僕らは残りの時間、自習になるのであった。

僕も一度そういえばゴワスに恥をかかされたことがあった。

昼休みだったと思うが、僕はうんこがしたくなってトイレに向かっていたのである。階段を降りていると、そこにゴワスがたっていたのだ。

「何処《どこ》へいくとね」

やばいと思ったのだが、ゴワスは僕にそういってきたのだ。

勿論、うんこに行くとは死んでもいえないのである。子供の頃というのは、学校でうんこをするということが、何故《なぜ》か恥ずかしく汚いというイメージがあったからだ。友馬鹿《ばか》とかアホといわれるより、うんこったれといわれるほうがずっといやだった。

達の家でトイレを借りるときは本当に神経を遣った。わざと、おしっこしたいんだけどトイレ貸してくれる？　などときいたりしたのだ。そして借りると急いで大きいほうをしたものだった。おしっこをするのと同じ時間で大きいのをするのは至難の技であった。

「何か急いでるみたかね。おもしろかことでもあると？」

ゴワスはまだ気づいていないようだったが、もし気づかれたらクラス中にいい触らされる可能性は十分にあった。

「いや、別になんでんなかよ。ちょっと外の空気ば吸おうかなておもうたったい」

僕のお腹《なか》は明らかにくだっていたのである。汚い話で申し訳ないが、肛門《こうもん》の筋肉はもってあと三十秒というところであった。

「外？　よかね、僕もつきあおうかね」

僕はゴワスが何かいうたびに冷や汗がでるのだった。

あの頃僕には同じクラスに好きな女の子がいて、どうしても彼女にだけはそのことをもらしてほしくなかったのである。

しかし、僕は限界だった。二人は中庭を目指して階段を降りていたのである。僕の足は自然に内側へより、X脚になっていたのだ。

外へ出る玄関の傍にトイレは見えていたのである。僕はどうするべきか悩んで歩いていたのだ。何かが肛門の辺りで動きだしていた。僕はもうだめだった。あれは最後の賭《かけ》だったのだ。

「ちょっとおしっこしてから行くけん先に外に出とかんね」

僕はゴワスの顔を見ないでそういったのだが、血の気が引いていくのがわかった。しかし、ゴワスはこういうのであった。

「あ、僕も行こう」

絶体絶命であった。その瞬間肛門の括約筋が緩むのがわかったのだ。僕は慌《あわ》てて手でお尻《しり》を抑えて便所へ飛び込んだのであった。もうこうなったら、ゴワスなど気にしてられなかった。

僕は急いで便所の大のほうへ飛び込んだのである。

そしてまもなく、けたたましい声でゴワスが叫びはじめるのであった。

「ばっちい、うんこたれてる」

僕は拳《こぶし》を握りしめて、あいつだけは殺してやる、と心に誓うのであった。

ゴワスの母親という人にはじめて会ったときは本当にびっくりした。

帰り道が同じ方角で、僕はときどきゴワスと一緒に歩いて帰ることがあったのだ。(ちょっと付け加えておくが、ゴワスの歩き方がまたかわっているのである。彼は俯《うつむ》いて壁伝いに歩くのだ。傘を持っているときはずっとそれで壁を叩《たた》きながら歩き、無いときは掌《てのひら》だった。どうしてそんなふうに歩くのかと尋ねたことがあるが、彼はひとこと、静電気、と意味不明のことばを残した。今もってそれがどういう意味か僕にはわからない)ゴワスの家は僕の家と学校とのちょうど中間に位置していた。古い木造の平屋で、表札には新道と書かれてあった。

ちょっと上がって行かんね、とゴワスがいうので僕は気が進まなかったが、じゃあちょっとだけ、といってお邪魔することにしたのである。

出迎えたのは、信じられないほど綺麗《きれい》なゴワスの母親であった。まるで映画女優であった。

「いつもいつも孝之がお世話になっています」

ゴワスの母親は僕のような子供に向かって、そんなふうに挨拶するものだから、僕は緊張してしまってどうしようもなかった。僕はただもったいないと目を伏せておじぎをしつづけていたのである。

僕は子供部屋にはいるなり、ゴワスを問い詰めたのである。

「綺麗かお母さんやね。どがんしたらあげな母親がお前みたか子ば生むとやろか」

ゴワスは唇《くちびる》を尖《とが》らせている。

「あんひとはゴサイやけん」

僕にはその意味が分からなかった。僕は馬鹿にされたくなくて、へえ、と知ったかぶりをしたのだが、家に帰って自分の母親に聞いてみてびっくりしたのである。

「母さん、ききたかこつがあるとやけど」

母親は、改まって何ね、とわらっている。

「ゴサイってどがん意味？」

僕の母親は驚いて目をぱちくりさせるのだった。

「何をいいだすとやろね、こん子は」

僕は仕方ないので、ゴワスのことを詳しくしゃべったのである。

すると母親は僕に、

「それはその子の本当の母親が何かの理由でお父さんと別れたのか、あるいは亡《な》くなったかして新しいお母さんがみえたのね」

というのだった。

新しいお母さんという響きは何故だか悲しかった。

僕が好きだったのは、副委員長のなかとみえみこだった。なかとみえみこは頭がいいだけではなくて、スポーツも音楽も優秀であった。子供の頃というのは何故かそういう才女に憧《あこが》れるものである。大人になって二十年ぶりぐらいに当時の写真を押し入れから引き出してみると、ずっと思い描いていた人がそれほど美人じゃないことに驚いてしまうのは僕だけじゃないはずである。勉強ができる、ということで好きになったあの頃は、今みたいに不純ではないぶん何だかいいような気もする。

放課後、僕たちは音楽教室にいた。

委員長の角田と僕となかとみと、そして何故かゴワスがいたのである。委員長の角田という奴は頭もよくスポーツもでき更に小さい頃からピアノを習っているらしくて楽譜を見ながら所謂《いわゆる》「初見」というやつが出来る生意気な奴であった。

僕らは合唱コンクールに何を歌うか決めるためにそこに集まっていたのである。僕はちょっと歌心があったのでそこによばれていたのだが、ゴワスは僕にただくっついてきていたのだった。僕は何故か奴に気に入られたらしかった。何時《いつ》からか奴は僕にくっついて回るようになっていたのだ。

角田はなかとみと噂《うわさ》になったこともあり、所謂僕のライバルであった。僕は嫉妬《しっと》もあったのだが、大体勉強ができてスポーツができておまけにピアノがひける奴は許せなかったのである。いつかはぎゃふんといわせてやりたいタイプの男だった。

三十分ほどして一応話がまとまると、僕らは好きな音楽について話しはじめたのである。僕が当時好きだったのは、クレイジーキャッツの「スーダラ節」であったが、角田はモーツァルトは世界の宝だなどと高尚《こうしょう》な話をするので、僕は仕方なくなかとみの顔色を窺《うかが》って知ったかぶりをするのであった。

彼がモーツァルトの一節を弾くに及び、そしてそれをなかとみが虚《うつ》ろな目で聞き入るにしたがい、ジレンマに襲われるのだった。

「やっぱり、モーツァルトは最高だよね」

角田は弾きおわると、なかとみに向かってしかも、標準語でそういうのだった。僕はいけすかねー野郎だと心のなかでは思っていたが、顔は微笑《ほほえ》んでいたのである。

するとと角田が今度は僕に向かってこういってきたのである。

「辻君は何か楽器は弾かないの？」

僕は悔しさと恥ずかしさが心の中で交差してあのときは本当に倒れそうだった。

「いや、僕なんてさ、君の足元にもおよばないですよ」

僕は無理して標準語を使っている自分が悲しかった。

そのとき、突然ゴワスが口を挟《はさ》んだのである。

「辻は、作曲ばちょっとかじっているったい」

ゴワスは少し離れたところに座ってそういうのだった。僕は顔中真っ赤になっていたのだが、なかとみえみこは、本当？　と声を張り上げて驚いてくれたのである。

僕はそのなかとみの驚く声に驚いてしまった。まさか、あんな大きな声をだしてくれるなんて思ってもみなかったからである。

「辻君、本当に曲を作れるの？」

なかとみの顔が僕のすぐ傍《そば》まできていた。彼女の可愛《かわい》らしい唇が動いている。僕は頭に血が上りなにがなんだか分からなかった。答えに困っていると、横からゴワスが再び口をはさむのだった。

「辻、この間僕に聞かせてくれた曲ば、明日皆に聞かせたらよかよ。楽譜もっととったろうが。あれば角田に弾かせればよかよ」

僕は成り行き上仕方なく、うん、と頷くのだった。なかとみの喜んだ顔を今更くもらせたくなかったからである。

僕はゴワスと二人きりになったとき、まず言葉よりもさきにあいつの頭をぽかんとなぐりつけるのだった。

「いたかね、なんでたたくっと」

僕はゴワスの耳タブをひねりあげた。

「なんであげん嘘《うそ》ばつくとや。俺は曲なんかつくれんたい」

ゴワスは僕の手を払いのける。

「なかとみに好かれるチャンスやなかか、角田んごたるかっこつけ男に取られてよかとかね」

僕はすっかり見抜かれていたのだった。

「しかし、曲なんてつくれんよ」

僕が泣きそうな顔でそういうと、ゴワスは「よか策があるたい。俺にまかしとかんね」とうなずくのだった。

ゴワスの策というのはすごいアイデアであった。モーツァルトやショパンの楽譜を数小節ずつ適当に写すというもので、僕らはさっそく真っ白な音楽ノートに適当な曲の適当な箇所を写しかいたのである。

「いいね、こうやって、天才たちの作品の一部を抜き取って混ぜ合わせれば、すごか曲のできるわけたい。これぐらいごちゃ混ぜにすれば誰も元はわからんばい」

僕はあのとき、ゴワスが神様のように見えたのであった。

翌日僕らはまた音楽教室にいた。僕が鞄《かばん》の中から楽譜を取り出すと、角田の顔が一瞬ゆがむのだった。そしてなかとみは「すごい、辻君」といったのである。

僕は天国へでも昇ろうかという気持ちであったが、しかし、それも長くは続かなかった。

「辻君、これ目茶苦茶で弾けないよ」

角田が自信を取り戻しつつ、厭味《いやみ》な声でそういうのだった。

「ほら、これはさ、四分の三なのにさ……」

専門的な言葉が続く間、僕は泣きそうになるのを堪えるので必死だった。「えっ、そう？」と微笑みながら、陰では拳を握りしめゴワスを叩《たた》きのめすことばかりかんがえていたのである。

そんなある日の学校帰り、僕が家路についていると僕の前を例のうつむきかげんで歩くゴワスがいた。クラスの中でも浮いてしまっていたゴワスは友達も出来ず、このところずっとひとりきりだったのである。ときどき僕のところへやってきては寂しそうに知ったかぶりをしていたが、僕とていつも彼の相手をするわけにはいかず適当にあしらうのであった。

ただ、僕は他の連中みたいに彼を無視することは何故だかできなかったのだ。別に正義感が強いとかそんなほどのものではない。あの日、ゴワスの家で会った新しいおかあさんというのが、ちょっと胸にひっかかっていたのだとおもう。

そして、「静電気」をして歩くゴワスに声を掛けるべきか、それとも違う道を通って帰るべきか迷いながら暫く彼の後ろ姿をじっと見ていたのである。校門を出ようかというときだった。突然ゴンドウの一派がゴワスの前に立ちはだかった。数人のクラスメートたちがそれに気がついて様子を窺っていたが、誰も係《かか》わろうとはしなかった。ゴンドウはゴワスの胸ぐらを摑《つか》むと仲間たちと体育館の裏手に彼をひきずりこんだのである。ゴワスは何か大声で抗議していたが、それは風に流されて僕の耳には届かなかった。

そして僕は何もなかったかのように歩きだしていた。体育館の脇《わき》を通るときも僕は覗《のぞ》かなかった。何か叫んでいるゴワスの声が聞こえてはいたのだが、顔を俯かせて僕は気づかれないようにこそこそしていたのだ。シャーマンやクニヤンがいればまだ何とかなったのに、と心の中では思っていたのである。

しかし、校門をでて二、三分は経《た》っていただろうか。僕の頭の中に殴られている友達の顔が浮かび上がってくるのだった。首をふって目を瞑《つぶ》って何度も払いのけようとするのだが、友達のあの憎たらしい顔が次々に現れてくるのだ。それは学校から遠ざかれば遠ざかるほど強く蘇《よみがえ》ってきていた。

僕は十字路に差しかかっていた。信号は僕の前で急に赤に変わってしまった。僕は渡ってしまおうと駆けだそうとしていたのだが、大きなトラックが僕の行く手を塞《ふさ》ぐのだった。眼前の視界が阻まれ、数秒僕は立ち止まってしまう。

そして僕は学校に向かって、走りだしていたのである。勝ち目は無かった、相手は三人だった。それも番長のゴンドウがいる。僕の必殺技「魔の爪《つめ》」ではせいぜい一人を倒すのがやっとだった。それでも僕は友達を見捨てるような卑怯《ひきょう》なものにはなりたくなかったのだ。

僕は校門をつっきり、体育館の裏手に走った。案の定ゴワスは連中になぶられていたのだ。ゴンドウの子分たちがゴワスに蹴《け》りを入れている最中だった。僕は迷わず、親分のゴンドウに飛びかかったのである。この野郎、てめえら卑怯だぞ。僕は大声で叫んでいた。僕とゴンドウはたおれこんだ。僕は両足でゴンドウの体を締め上げ、そしてすかさず「魔の爪」をゴンドウの顔に食い込ませたのだった。ゴンドウは大声をあげた。子分たちが僕に気がつき慌てて僕をゴンドウの体から引き離そうとしてきたのである。

「こら、辻、ふざけるなよ」

ゴンドウの子分たちは僕の顔を目掛けて殴りはじめた。僕はああなるとすごく根性がすわるほうらしく絶対死んでも手ははなさないのだ。僕らは大声をはりあげて取っ組み合いをはじめたのである。

そしてどれくらい経った頃だろう、僕がわけの分からないことを叫びながら三人を相手に戦っていると、まもなく援軍がやってきたのだった。シャーマンとクニヤンだった。後で分かったことだが、校門にいたクラスの連中が彼らを呼びにいっていたのだ。

僕らは宿敵ゴンドウ一家と徹底的に戦ったのである。勢いはこっちのほうが断然数段上だった。そして僕らは戦いに勝った。ゴンドウたちは皆小学生らしく泣きだして退散したのである。

喧嘩《けんか》をしている最中、ゴンドウの顔から僕の「魔の爪」は決してはなれることはなかった。顔に僕の爪跡を残してゴンドウは逃げ去るのであった。（余談になるが、ゴンドウの顔に残った僕の爪跡は数か月にわたって彼の顔から取れることはなく、この戦いで僕らが勝利したことを全校に知らしめるいいヘリテージとなったのであった。

そしてその戦いの後、彼の勢力はがくんと落っこちゴンドウ組は衰退していくのである)

そしてゴワスは僕らのところへやってきて、例の口調でいうのだった。

「この学校の正義はやっぱり、僕たち四人でまもらないかんたいね」

爽《さわ》やかな風の合間をぬって、きんこんかん、とチャイムが間抜けに響いていた。

読書ライバル、ヨー君

小学校時代、僕は〝こいつにだけは負けたくない〟という読書友達がいた。その後の僕の乱読生活は、ひとえに彼とのライバル意識が生んだものである。僕はもともと、本は大嫌《だいきら》いだった。あの人参《にんじん》とピーマンと並んで、本は僕の三大苦手の一つであった。人参は必ず、グラッセにしてもらわなくては食べられなかったし、ピーマンは微塵《みじん》切《ぎ》りにして、チャーハンに混ぜてもらわなければ、口にすることができなかった。親は好き嫌いの激しい僕に相当頭を悩ませていたようだ。食べ物なら、まだそうやって調理に工夫を凝らせば何とかなったが、本はそうはいかない。母親はそんな僕をよく回想して話の種にする。「あげん本は好かんかったくせに、小説なんか書きよってからに……」(ちなみに母は九州の女である)

小学校時代のそんなある日、僕らが住んでいた福岡の社宅の隣に、ある一家が移り住んで来た。父母兄妹《きょうだい》の四人家族で、(ちなみに僕のところは父母兄弟である)長男ヨー君は僕と同い年であった。問題の負けたくない読書友達というのが、そのヨー君である。彼は信じられないほどの読書家だった。小学校の四年生ぐらいで、既にヘルマン・ヘッセの『車輪の下』を読んでいた。別に彼が勝手に読書家であるぶんには構わなかったのだが、いかんせん僕の父は人一倍負けず嫌いだったので、隣の両親が共に青山学院大学出身であると知ると、父は負けずにアイビールックを購入したほどなのだ。（ちなみに父は中央大学出身で、どこか垢抜《あかぬ》けないと、自分で思いこんでいる節があった）

とにかく、父は走って飛んで来て、マンガを読んでいる僕を叩《たた》いた。「いいか仁成、ヨー君は今、ヘッセを持って社宅の門のところに立っていたぞ」と。その当時の僕に、ヘッセが何であるか分かろうはずもない。第一、ヨー君もヨー君だ。何もヘッセを持って社宅の門のところに立つこともないだろうと、ヘッセがドイツの小説家であることを知ったとき、僕はそう思ったものだ。

数日後、父はヘッセの『車輪の下』を買って来た。僕はペラペラとページを捲《めく》ってみたのだが、とてもあの頃《ころ》の僕に太刀打ちできる代物《しろもの》ではなかった。ただ、僕は投げ出さなかった。それを読めば、ヨー君みたいに大人たちから〝すごい〟と誉《ほ》められるのだから。当時、僕はヘッセを読破することが子供のステータスを得る近道だと考えたに違いない。確かに、ヘッセを持ち歩いていると、父や母や、周りの大人たちの僕を見る目が違った。

父はそれから、事ある毎《ごと》に、僕に本を買い与えた。隣家と仲良くなればなるほど、父の負けず嫌いはひどくなった。あるとき、狭い勉強部屋に『世界名作全集』が、でんと転がっているのを見て、僕は途方に暮れたものだ。きっと隣の家へ皆で食事をしに行ったときに、同じようなものをヨー君の勉強部屋かどこかで見つけたに違いなかった。

しかし、ヘッセとの出会いはそんなふうにかなり不純なものではあったが、五年生に進級する頃には、僕は僕なりにあの本を読破していたのである。一冊の本を最後まで、はじめて読み通すことができたのも『車輪の下』が初めてで、その感動も大きかった。そして何より、名作に触れられたことが、後の僕に大きな変化をもたらしたのだ。僕は、主人公のハンスとその親友のハイルナーに心を動かされた。友情ということの意味を真剣に考えるようになるきっかけとなった。更に、『車輪の下』はヘッセの自伝的小説であることを知り、僕は図書館に通って彼の歴史と他の作品を学ぶようにもなるのである。そして五年生の冬には、僕は最初の詩（「自転車」）を、創作するまでになっていた。

その頃には、僕はヨー君とも打ち解けて、ライバル意識は友情へと転化されていたのだ。僕たちは、図書館で借りた本についてよく話すようになっていた。ヘルマン・ヘッセ、ジッド、ヴェルヌ、スティーブンソンなどが、その話題の中心だったが、僕はヨー君自身が書いた詩が一番好きだった。僕の書いた詩について、かなりの酷評をした次の日に、彼が僕に見せてくれた詩は、本を読むということがどんなに素晴らしいことかということを謳《うた》ったもので、僕はそれを読みながら、震えたものだった。

小学校五年生の冬、僕は九州から北海道へと転校した。気温差六十度の移転だった。帯広という街は、雪に閉ざされた極寒の街だった。外に出て遊ぶこともできず、僕の読書癖はそこで本物となった。

そしてヨー君から送られてきた最後の手紙には、「これからドストエフスキーを読み始める」と書かれてあった。僕のまだ知らない未知の作家であった。

PS.　僕のはじめての詩「自転車」は、朝早起きして、家族のためにパンを買いに行くという内容だった。地元の新聞（教育新聞のようなものだと記憶している）に載ったのだが、それを社宅中に自慢しまくっていたら、母にはずかしいからやめなさいと、頭をはたかれた思い出がある。

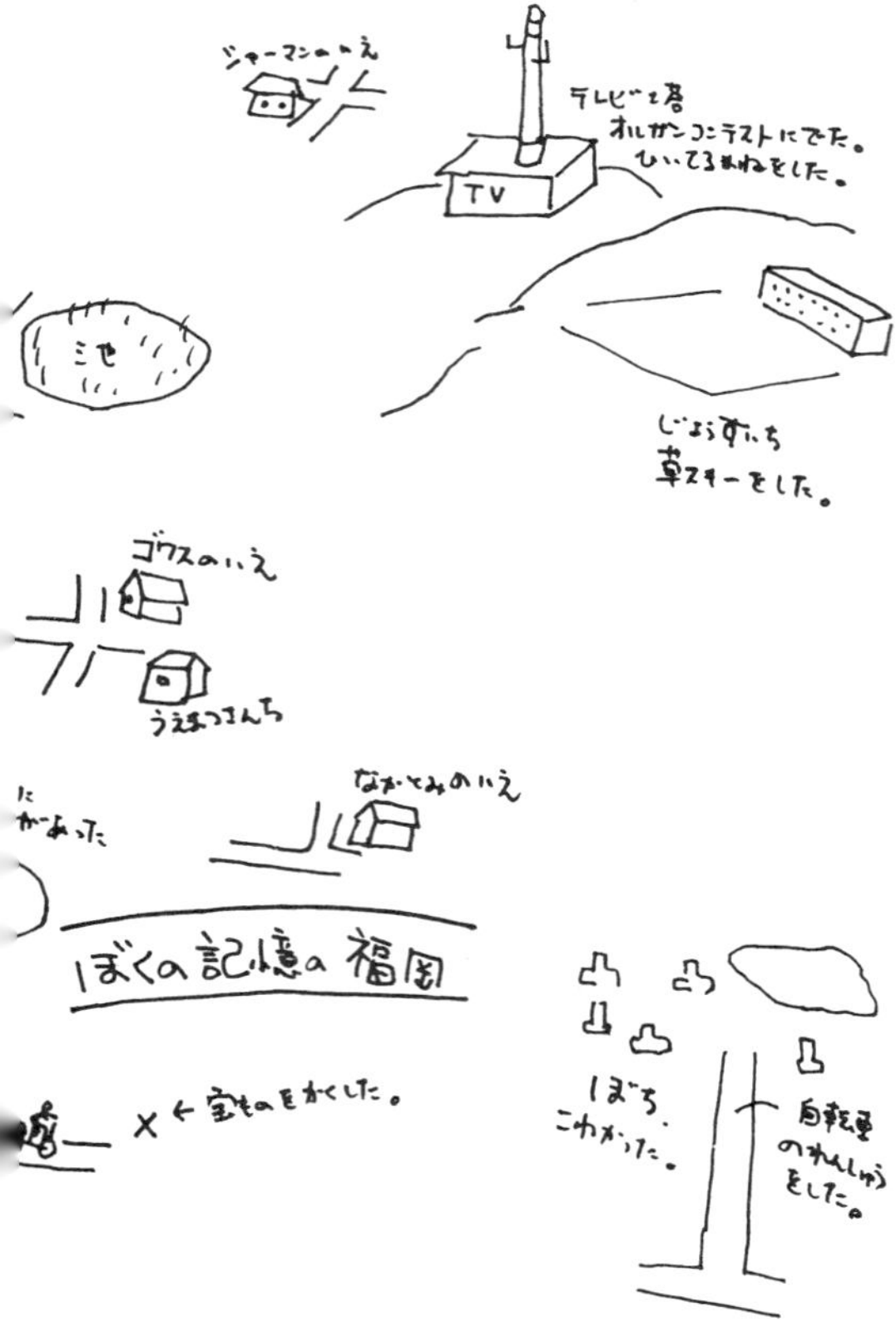
ジャーマンのいえ
テレビ塔
オルガンコンテストにでた。
ひいてるまねをした。
TV
ミセ
じょうすいち
草スキーをした。
ゴウスのいえ
うえまつさんち
なかとみのいえ
かあった
ぼくの記憶の福岡
× ← 宝ものをかくした。
ぼち。
こわかった。
自転車のれんしゅうをした。

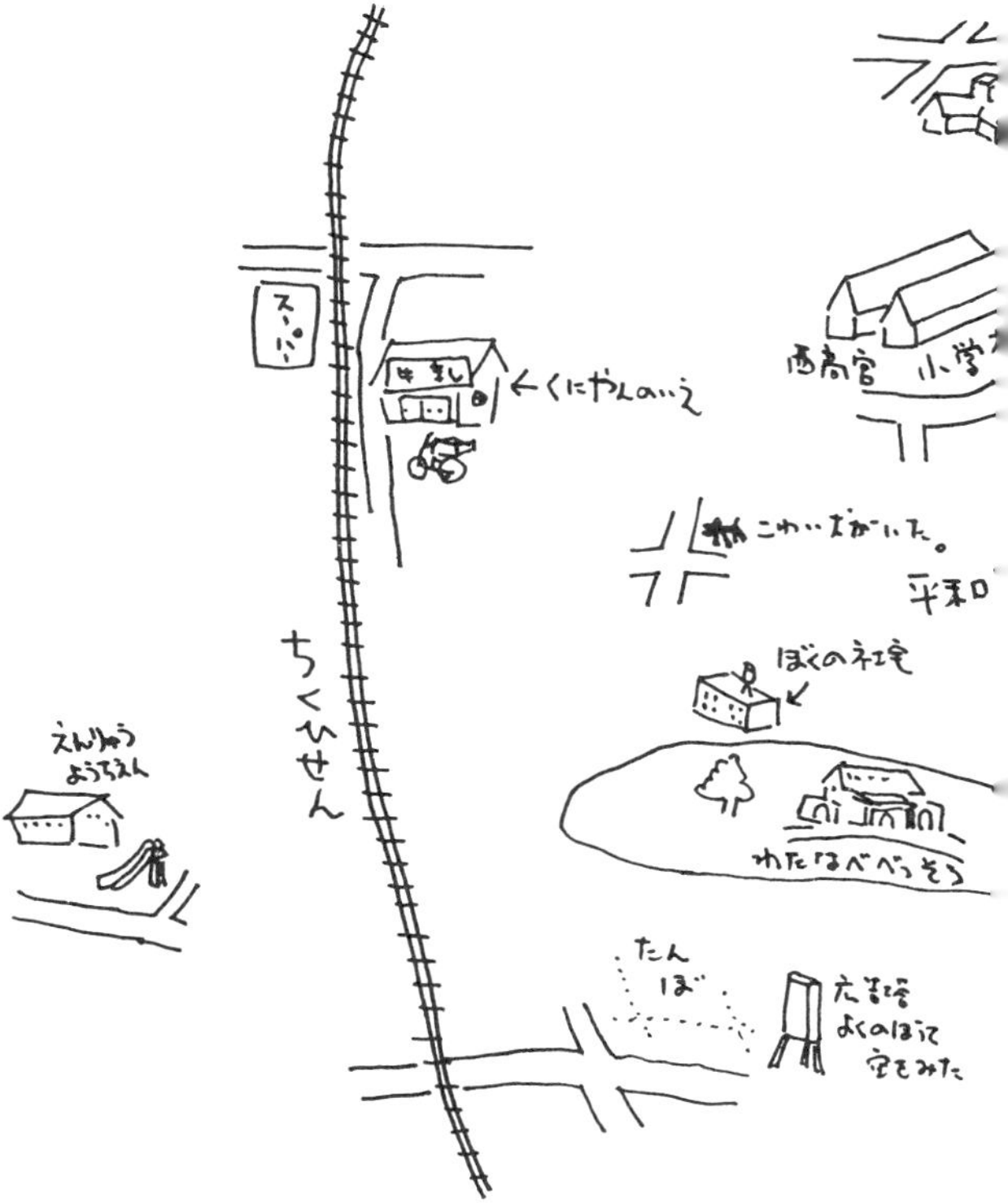
スーパー
←くにやんのいえ
西高宮　小学
こわいいぬがいた。
平和
ぼくの社宅
ちくひせん
えんりゅう
ようちえん
わたなべべっそう
たんぼ
広告塔
よくのぼって
空をみた

とんでもないことをしてしまうのである

小学校六年生のとき僕には、すごくいやなのに何故《なぜ》か気になる友達がいた。黒沢すすむという名前だった。

僕は小学校五年のとき九州の福岡からいきなり北海道の帯広に転校をした。帯広の冬はマイナス三十度を越える極寒で福岡の夏との気温差はゆうに六十度以上あったのだ。帯広は、十勝平野の真ん中辺りにあり、人口十五万人ぐらいの街で、内陸に位置するため冬は寒く、夏は反対にすごく暑かったのである。

黒沢はその帯広で一番最初に僕に話しかけてきた奴《やつ》だった。大体、経験からいえば、どこの学校にもそういう気安い奴は一人や二人はいるもので、もう一つおまけにいっとけば、そういう奴ほど後に天敵となる人物であるのだ。

「ようよう、あれかい福岡ってのは、雪はふんのかい」

黒沢の喋《しゃべ》り方は小学校六年生とは思えないほどおやじ臭かった。僕は彼のことを、心のなかでこっそり、おやじこぞうと呼んでいたのである。

「うん、降るよ」

　僕がそうこたえると黒沢は、おうおう、と首を振るのだ。雪がふんだってよ、といちいち周りのだれかに同調を求めるのである。彼は僕がいうことを、しつこくリピートしてはクラス中に通訳するのである。転校生と最初にコンタクトを取ったことをまるで自慢するかのごとく。

「それであれかい、冬はやっぱり零下になるのかい」

　仕方ないので僕が、うんたまになるよ、と答えると、

「たまになるんだってよ」

　とまた皆にしかも大声でそういうのだ。

「何度？　ねえ、何度になるんだい」

　見世物にされているようで恥ずかしかったけれど、転校生ということでさすがに僕はおとなしくしていたのである。

「マイナス二度とか、五度とかかな……」

「マイナス二度？　きいたかい、マイナス二度だって、何だやっぱり九州だよな、いいかいよくおぼえておきな、帯広はな、マイナス三十度になるんだぜ」

そこで僕が驚かなければ、僕は後々いじめられることになるのだ。僕はそれほど馬《ば》鹿《か》じゃないから、へえ、すごいね、とにげておいた。転校生の教訓その一、郷にいれば郷に従え、である。

とにかく転校して暫《しばら》くはそんなふうに黒沢の質問ぜめにあったり、何故かわからないが彼に連れられて他の組へ挨拶《あいさつ》回りをさせられたりしたが、まあおかげで僕は学校の他の連中ともそれほど時間もかからずに打ち解けることができたのである。

黒沢はすっかり僕のガイド兼兄貴分になっているつもりのようで、

「ようよう、何か困ったことや、分からないことがあったら聞いてくれよな、なんでも俺《おれ》が教えてやるからさ」

と、ことあるごとに恩に着せるのだった。

まあそんなわけで、めでたく（？）黒沢は僕の帯広での最初の友達になったのである。

僕は一度だけ黒沢の家に遊びに行ったことがある。小学校から歩いて五分ぐらいのところにある家で、僕の家からも歩いてすぐの距離だった。同じ形をした社宅群のなかに、彼の住む家はあった。三角形のかわいい家だった。帯広の屋根は九州の屋根とは違って、瓦《かわら》ではなくトタン屋根だった。雪が積もらないように、滑りやすく工夫してあるのだ。瓦屋根だったら積もった雪の重さで家が潰《つぶ》れてしまうからだ。もちろん、そのことを僕に教えてくれたのも黒沢だった。

「まあ、上がれや」

僕が黒沢について彼の家へ上がると、居間には彼のお母さんがいた。不思議なことに黒沢のお母さんは家の中でも化粧をしていた。付け睫《まつげ》と赤い口紅が僕の心に焼きついた。僕がこんにちはと挨拶をすると、彼女はそれには答えず、いきなり黒沢に向かって、遊んでばかりいないで少しは勉強したらどうかね、とややヒステリックにいうのだった。僕は面食らったが、黒沢は慣れているようで、うるさいな、と小さくそれにこたえていた。それから僕たちは二階の黒沢の部屋へ上がったが、当然お茶などだしてはくれなかった。

僕たちが二階で漫画本を読んでいると、三十分ほどして階下からどなりあう声が聞こえてきたのである。僕は驚いて漫画本をおいて、黒沢の顔を覗《のぞ》き見たが、黒沢はやはり慣れているようで、漫画から目を離さなかった。夕方、六時を少し回る頃《ころ》、僕は帰ることにしたが、そのとき階下にはもうだれもいなかった。テーブルの上にサランラップに包まれたおにぎりが三つ、置いてあるのが見えた。

黒沢と仲が良かったのは、僕が帯広に転校した最初の一、二か月ほどではなかったかと記憶している。仲がいいといっても、また、黒沢が勝手に世話を焼いてくれたわけで、僕としてはやはり馴染《なじ》み辛《づら》いタイプではあったようだ。

学校に徐々に慣れてくるに従って、僕は他に気の合う仲間たちができてきたのである。黒沢ともそれなりに仲良くしてはいたが、他の連中が黒沢をやや敬遠している節はあったのだ。なんでも自分のペースで進めてしまう彼のやり方は、あまり好かれなかったのかもしれない。まあともかく、僕はだんだんと黒沢から離れていったのである。

僕はクラスの他の連中と付き合いだしたわけだが、その輪の中には何故か黒沢ははいってはこなかった。今になって考えてみれば、多分黒沢もかつてはその輪の中にいたにちがいない。しかしその性格のせいで皆から嫌《きら》われたり、敬遠されたり、いつの間にか弾《はじ》かれてしまったのだろう。彼が僕に最初に声をかけてきたのも、うなずける話ではある。

それからさらに月日は過ぎた。僕はすっかり帯広の人間に染まっていて、いつの間にか、アクセントも九州のそれから、北海道のそれへと変わっていたのである。クラスの中で僕の位置も固まり、僕には様々な役割が回されてきた。漫画の同好会を作ったり、仲良しグループのようなものまでもでき、僕の交遊関係はさらに広がっていったのである。と同時に黒沢は僕の視野からいつの間にか、遠ざかっていった。ときどきふと窓際《まどぎわ》で校庭を一人でながめている彼の姿を見かけたが、僕は声をかけることもなく、新しい仲間たちの方へむくのだった。

そんなある日、僕は放課後、久しぶりに黒沢に呼び止められたのである。

「ようよう、元気にしてるかい」

同じクラスなのだから、元気にしてるかい、はないだろうとは思ったが、黒沢のことなので、僕は深くは考えず、うんしてるよ、とこたえたのだ。

「辻さあ、ちょっと本を借りたいんだけど、貸してくれないかな」

黒沢が借りたがったのは、僕が大切にしていた手塚治虫《てづかおさむ》の漫画本だったのである。僕はあまり貸したくなかったのだが、黒沢が執拗《しつよう》にくいさがるのでついに仕方なく、うん、いいよ、といってしまったのだ。

かくして、僕たちは久しぶりに、一緒に下校したのである。帯広に越してきてから、半年がたっていた。

しかし、僕たちの間はかつてのような関係ではなかった。僕たちは一緒にならんで歩きながらも、会話はなく、まあ僕のほうが黒沢を避けていたわけだが、他の連中と一緒になって、僕は黒沢の悪口をいうようになったりしていたのだから、ならんで歩いているところを誰かに見られては不味《まず》いというおもいが、自然と壁を作っていたのもまた事実だった。

そして僕はとんでもないことをしてしまうのである。

家に着くと、僕は黒沢を玄関の外で待たせ、探してくるからちょっと待っててね、と家の中へはいったのだが、僕は家に入った途端、黒沢を待たせていることなどすっかり忘れてしまったのである。丁度テレビで好きなマンガをやっている時間で、僕は弟に呼び止められてしまったのだ。僕は弟の横に腰を下ろし一緒に見入ってしまったのである。三十分ほどしてからだろうか、買い物から帰ってきた母親に、外に黒沢君が待ってるけど、いいの？　と聞かれ、僕は慌《あわ》てた。二階へ駆け上がり、手塚治虫の漫画をもって駆け降り、ドアを開けると、そこに黒沢はまだ立って待っていたのである。僕は言葉を失ってしまった。探していたとか何とか誤魔化せばよかったのだが、つい正直に僕は、

「忘れてたわ」

といってしまったのである。黒沢は小さくうなずき、そしてその本を受け取ると、くるりと背をみせ、そこから立ち去ったのである。僕はあのときの黒沢の後ろ姿を今もハッキリとおぼえている。

そういえば、僕には同じような経験が何度かあるのだ。つい最近では僕が二十代の後半、まだロックバンドに在籍して活躍していたころのこと。僕は方南町に住んでいたのだが、同じ街に住んでいたアースシェイカーというバンドのマーシー君と偶然駅前で会ってしまい、家に遊びに来いよと誘ってしまったのだ。もちろん、誘ったのは僕のほうで、彼は、うん、いいよ、とついてきたのである。マンションに着いて、僕は部屋が散らかっていたことを思い出し、黒沢のときと同じように、散らかってるからちょっと待っててね、といって彼を待たせてしまったのである。そして、部屋を片づけているうちに、マーシー君のことを、（申し訳ないと思い返しては反省するのだが）本当にすっかり忘れてしまったのだ。二十分ほどしてからだろうか、トントンとドアをノックするものがいるので、出てみると、そこに、いたのである。マーシー君が。

「すまん、忘れてた」と僕はまたあのときも正直にいってしまったが、心の広い彼は「いいかげんにしろよ」とたしなめたあと僕を許してくれたのだ。部屋を片づけるのに夢中になっていて、人を待たせていることを忘れたのである。

マーシーの場合はその後部屋にあがってもらって一緒に遊んだからいいようなものの、黒沢のことは今もずっと心にかげを落として離れないのだ。

それから更に月日が流れ、秋が近づく頃だったと思うが、黒沢は帯広からずっと北のもっと小さな街へ引っ越すことになったのだ。理由は両親の離婚だった。彼は遠い親戚《しんせき》に預けられるとのことだった。彼の両親にたいするいろいろな噂《うわさ》が僕の耳にも届いていたが、黒沢はその件に関して最後まで無口だった。一人で校庭を見ていたあのときの彼の胸中を思うと、僕は何もできなかった友達として情けなく、そしてつらかった。

僕は彼とのお別れの日、一緒に彼の家の近くまで帰ることにした。校庭でブランコに乗って、一時間ほど時間を潰《つぶ》した。

「あの漫画本な、あれもってってってよ」

僕に出来たことはその程度のことだった。黒沢は家の近くまで行くと、ここでいいから、と立ち止まった。

僕が帰ろうとすると、彼は少し元気な声でこういった。

「ようよう、向こうに手紙くれよな」

僕は大きくうなずいたが、あれ以来僕は一度も手紙を出してはいない。もちろん、彼からも便りはこなかった。

振り返ると、北海道の大きな夕日が三角形の尖《とが》った家々の向こうに沈むところだった。

キャサリンの横顔

僕は一度だけ塾《じゅく》に通ったことがある。

小学校の六年生から中学の一年生の春までの間で、場所は北海道の帯広だった。塾の名前は正式の名称があったはずだが、今や覚えているのは狸塾《たぬき》という通称のほうだけだ。（別名ぽんぽこ塾と呼ばれていた）何故《なぜ》その塾に通いだしたのかは忘れてしまった。多分同級生がそこへ通っていたからだろう。あの頃《ころ》、僕には三人の仲間がいた。ありもり、おのだ、まなべ、の三人である。僕を含めて四人は学校が終わると毎日自転車をとばして塾へ通うのだった。雨の日も風の日も僕らは自転車でそこへ通っていた。競争するように競って、びゅんびゅん風を切って走っていたのである。

そうだ、今思い出した。僕がそこへ彼らと通うようになったのには、ちょっとした理由《わけ》があったのだ。同じクラスのあやべさんという女の子がやはり通っていたからだ。僕は彼女のことがきっと好きだったのである。どうもまだ愛とか恋とかその手の感情に鈍感な時期だったので、あれがそういう感情のものだったかどうかちょっと自信がないのだが、授業中彼女のきりりとした横顔を見るのが好きだったことは確かだった。その横顔をもっと見たくて勉強の嫌《きら》いな僕は塾通いを決心したのである。あやべさんは帯広の大きな病院の令嬢で、ゴトウクミコにまさるともおとらない美形（いや、これは信じて頂くしかないのだが）な才女だったのだ。学校では当然人気者で、僕などそうやすやすと近づくことさえできなかったのである。だから、僕は彼女と同じ塾へ通うことにしたのだ。

そんな裏心はあったが、僕はジョンたちと一緒に毎日自転車を飛ばしてぽんぽこ塾に通っていたのである。風を切りながら自転車を飛ばすあの瞬間がたまらなかった……。

ぽんぽこ塾という名称は塾長のあだ名からついたものである。彼は狸に似ていたのだ。ぼさぼさの頭をして、お腹《なか》がでていて、まるめがねをいつもかけていた。面白い先生で子供たちの信頼も厚く、塾はどのクラスもいつだって満員であった。

その塾の特徴は、英語塾だったせいもあるがなんと塾だけで使う外国の名前があったのだ。例えば、おのだの英語名はジョンで、まなべはロバーツだった。ありもりがサムで、あやべさんはキャサリンだったのである。

そしてなんと僕は、ニックだった。狸先生はちょっとなまった英語で、(彼はそれが英語らしいアクセントだと信じ込んでいたようだが)ネーックと呼んでいたのである。

僕たちはその呼び方がえらく気に入っていたのだ。学校でもわざとその呼び方を使っていたぐらいだから。

「ロバーツ、悪いけどその消しごむをとってくれないか」

するとロバーツは僕に向かってこういうのだった。

「OK、ニック。使ったら返してくれよな」

他のクラスメートたちはあっけに取られた顔で僕たちのその会話に耳をたてていたのである。そして僕らはそれが僕らに与えられた特権のように喜んで使っていたのだ。

当然、外で偶然出くわしたときも僕らは英語の名前でよびあった。

「ジョンじゃないか、こんなところで出くわすなんて、いったいどうしたんだい」

僕はまるでハリウッド映画のスター気取りであった。近頃流行《はや》っているFMのバイリンガルギャルたちなど、帯広という田舎街で英語の名前でよびあっていたあの頃の僕らと比べればそれほど鼻につくほどのものではない。

一度担任の先生に、授業中はその呼び方をつかわないようにと注意された僕たちであったが、守った奴《やつ》は一人もいない。

塾は楽しかった。勉強は嫌いだったが、暗くなっているのに外にいられることもまた楽しい原因だった。余所《よそ》の学校のともだちが増えるのもまた楽しかったし、キャサリンはいたし、学校で教えてもらう前に勉強してしまっているところといい、とにかく僕はそこが大好きだった。

狸塾にジョニーというハンサムな奴がいて、一度そいつとキャサリンが噂《うわさ》になったことがあった。ふたりが席をならべると映画のワンシーンのようなので、誰かがひやかしたことがきっかけだったが、僕はそれが大変気に入らなかったのである。大体そういう噂が現実になるパターンが多かったからなのだ。

だから僕はジョニーが塾を早退した日の授業中にこっそり紙切れをまわしたのだ。ジョニーは野糞《のぐそ》をした、とそれには書いておいた。次の日から皆は彼のことを野糞のジョニーと呼ぶようになったのである。噂なんてそんなものだった。それ以降、すっかりジョニーは女性たちに嫌われてしまうのである。

僕らは塾帰りに、途中の国道沿いの雑貨屋で肉饅《にくまん》を買って食べる習慣があった。季節が変わり寒くなりはじめると湯気の昇る肉饅を食べることが凄《すご》く楽しみになるのだ。北海道の夜空は星が高く、きらきらと散りばめるように灯《とも》っていて吸い込まれそうだった。僕らは肉饅を口いっぱいにほおばりながら、その神秘的な輝きを見つめていた。大きな星空を見ていると、自分たちの存在の小ささに気を失いそうになった。

僕らは微妙な年頃であった。恋を知り、物事をわきまえ始める年齢であったのだ。

「なあ、ニック。君は誰か好きな女の子はいるのかい」

ジョンは缶《かん》コーヒーを啜《すす》りながらそういった。

僕は思わず食べていた肉饅が喉《のど》に詰まりそうになって、一度咳払《せきばら》いをするのだった。

「なんだよジョン、いきなりそんなことききやがって」

(帯広はあまり方言らしい方言がなく、殆《ほとん》ど標準語であった。それから僕らの年齢の子供たちはテレビの影響もあって、東京風の言葉を使うのがかっこいいとされていたのである。僕は直《す》ぐに土地の言葉や習慣になれる才能を持っていたのだ。それがないと転校生は余所の土地では生き残ってはいけないからだ)

「お、顔が赤いぞ。さては図星君だな」

ジョンがそういって僕の肩を叩《たた》くので、僕は思わず目を伏せてしまった。

「だれだよ、ニックは誰が好きなんだ」

ロバーツが煽《あお》る。

「ひゅー、ひゅー」

サムはポケットに手を突っ込んだままマフラーに首を竦《すく》めて僕を冷やかした。いい忘れていたが、サムは少し他の皆より頭の回転が鈍い子だったのだ。物事を理解するのに僕らの倍の時間が掛かるのだった。よく鼻水を垂らしていたが、いってやらなくては気づかないような子だったのである。

僕は夜空を見上げた。星の瞬《またた》きがキャサリンのウインクのようで胸がときめいていた。沢山の初恋を経験していたが、多分あのときの感情が僕の本当の恋の第一歩ではなかったかと思うのだ。胸がときめくということを知ったのはまず間違いなく（断言はできないが）キャサリンが最初の女性であった。

「ジョンこそ、誰が好きなんだよ。ずるいぞ僕ばっかり」

僕はときめきにつつまれながら、負けずにジョンにそう指摘した。父親のお古のアイビールックを身にまとったジョンが今度は赤くなる。

「そうだ、ジョンは誰が好きなんだ」

ロバーツが煽る。

「ひゅー、ひゅー」

サムは鼻水を垂らしながら目だけ細めて今度はジョンを冷やかした。

ジョンは星空を見上げていた。誰かのことをこっそりと思っているかのような恥じらった表情をしながら。

「そういう、ロバーツはどうなんだよ。君は誰が好きなんだ」

ジョンがそう応戦すると、今度はロバーツの顔が赤くなるのだった。

「ひゅー、ひゅー」

サムは相変わらずマフラーに顔を埋《うず》めて、欠けた歯の間から空気を吐きだしている。そのたびにひゅー、ひゅーは大きくなるのだ。

僕はサムのほうへ振り返って、指摘するのだった。

「サム、(狸先生風にいえば、サーンムという感じだ)サムこそ誰が好きなんだよ」

するとサムは顔を赤らめることもなく、いってのけたのである。

「僕? 僕はキャサリンさ。決まってるでしょう」

僕らはいっせいに大声をあげた。えーっ。その声が余りに大きくてお店の人が見に来たくらいだったのだ。

「サムはキャサリンが好きなのか?」

ジョンが確認するようにそういう。

「ああ、僕はキャサリンが好きだよ」

サムは気後れすることもなくそうはっきりというのだった。

「キャサリンだぞ、お前はあのキャサリンのことを好きだっていうんだな」

ロバーツの声は心なしか上擦《うわず》っていた。

「キャサリンはキャサリンさ。親父《おやじ》のようにキャバレーに行くわけじゃないから他にキャサリンなんて女は知らないよ」

サムはきっぱりというのだった。

「何時《いつ》からだ」

僕は身体《からだ》を震わせてそう抗議するのだった。

「前からだよ。もう忘れてしまったけどずっと前からだ」

僕たちはそれから一言も喋《しゃべ》ることができなかった。皆キャサリンが好きだったのだ。しかしあの頃は北海道の星空のように全《すべ》てが純粋で、僕たちはそれに従うしかなかったのである。

つまり、あの頃はまだ僕たちは幼くて恋人はいったもの勝ちだったのである。最初に好きだと公言してしまったものが恋人になりえた時代であった。（それでは早くいえばいいじゃないかぐずぐずしないで、と思われるかも知れないが、そこがうぶな青

春の蹉跌《さてつ》なのだ)
　そしてそれから暫《しばら》くの間、僕たち四人の間でだけ、サムはキャサリンの恋人になってしまったのである。勿論《もちろん》向こうはサムのことをどう思っていたかはわからないけれど。
　僕は失恋を嚙《か》みしめながら、その後も狸先生の授業に出つづけた。そしてキャサリンのきりりとした横顔を切なく見つめるのであった。

　後日談になるが、実は僕はさっき、(つまりこのエッセイを書いている最中に)ふと思いつき帯広の彼女の家に電話を掛けてみたのである。二十年近い歳月がその間に横たわっているにもかかわらずにだ。(なんて僕はずうずうしい奴なんだろう。いい年をしてと笑わないで頂きたい) この文章を書いているうちにまるで昨日のことのような錯覚に陥ってしまったからなのである。

　104で彼女の実家の病院の番号を調べたのだ。すると、その病院はまだあった。僕はどきどきした。二十年もたっているのに変わらないものが存在した喜びで胸がいっぱいになった。次に病院へ電話を掛けてみた。看護婦さんらしき人がでる。

「もしもし、あのわたくし実は……」

僕はちゃんと失礼のないように、彼女の友達であることを名乗り、彼女を呼び出して貰《もら》えないかと聞いてみたのである。

「ちょっとまってくださいね。家のほうへ切り換えますから」

そうだ彼女の家は病院の中にあったのだ。僕の頭の中に帯広の北国の懐《なつ》かしい情景がよみがえってくる。彼女の笑顔とともに……僕は緊張を通り越していて、そのとき興奮状態にあった。まもなく彼女の母親が電話口に出た。

「あの、実は僕、覚えていらっしゃらないかもしれませんが……」

彼女の母親は僕のことを覚えていてくれたのである。ああ、あの保険屋さんのぼっちゃんね。僕は思わず、ええ、と大声をあげてしまった。なに一つそこまでは変わっていなかったからだ。まるで昔のままだった。

「彼女は今……」

僕は当然最後の期待を掛けて、そう聞いてみたのだが、しかしキャサリンは帯広にはいなかったのである。お母さんの話だと、彼女は結婚して埼玉県で暮らしているのだそうだった。二人の子供に恵まれていい母親になっているということだった。

僕は目頭が熱くなっていた。幸せを摑《つか》んでしっかりと生きている彼女の現在を知ることが出来たからだ。

僕は突然電話をかけてしまったことを詫《わ》び、数十分彼女の母親と世間話をしたあと（現在の僕のことや、僕の家族たちのその後などを……）そして電話を切った。
彼女が幸せだと聞いて僕は本当にうれしかったのだ。

僕には僕の時間が流れているように、キャサリンにはキャサリンの時間が流れていたのだ。川の中に手を入れてみると違った流れが存在するように、世の中という川底にもまた様々な流れが存在しているのである。確かに僕はあのときあそこにいたのである。

Xへの手紙

中学校の頃《ころ》、ホームルームの時間にXへの手紙というのがあった。知らない人のために説明することにしよう。先生が名前の書いてある紙を配り、受け取った人は書いてあるその名前の人物のことを作文しなくてはならないのである。しかしそこで問題なのは書くほうは無記名で書く、つまり何を書いても書いた本人以外には誰が書いたか分からない仕組みになっていることなのだ。先生は時間になると全員から紙を再び集めて、今度はその名前の本人にわたすのである。（地域によってあったりなかったりするので、全国的にこれが授業に取り入れられていたかどうかはわからない。少なくとも帯広の中学校では流行《はや》っていたのだ）

先生たちはそれをすることで、普段他人が自分のことをどう見ているかを生徒たちに知らせようとしたのだろうが、何だか密告や魔女狩りのようなことをイメージして僕は大嫌《だいきら》いであった。

嫌いな理由の本質は本当はもっと他にもあった。それは僕のもとに戻される手紙の文面にあるのだ。僕のもとへ届いた最初のXへの手紙はこんな感じであった。

〔辻君へ、辻君とはあまりちゃんと話したことがないのでうまく書けません。同じ教室にいるのによく分からないというのはおかしいですね。正直いって私は辻君に興味がありません。でも、今度勇気が出たら思い切って話しかけてみようかなって思っています。そのときはよろしくね〕

ホームルームの時間はたっぷりと一時間はあるのだ。先生の説明や準備を省いても、四十五分ぐらいは僕について書く時間はあったはずである。僕はそれを見て子供ながらにわなわなと震えたのを覚えている。横目で両隣の席の奴《やつ》の手紙を覗《のぞ》き込むと、びっしりと文字が書かれていたのだ。うらやましくてしかたがなかった。

僕はたまたまその回は筆不精の人にあたったのだと思い込むようにして、そのことはわすれることに努めていたのであるが、なんと次の回も同じような、いやそれ以上に酷《ひど》い文面が届いたのである。

〔辻君って、変人ですか。何か私には理解できないところのある人だと思います。これからも頑張《がんば》ってください〕

変人、という響きに僕は青ざめるのであった。僕のことを変人と見ている人間がこの教室の中にいるわけで、僕はそのことでうろたえるのであった。一回目といい二回目といい、どうも文面からすると女性のようであったが、（いやもしかしたら男子が女子ふうに創作して書いたのかもしれないが）如何《いかん》せん調べようがないのだ。書いた奴は教室のどこかから僕の表情をこっそり窺《うかが》っているにちがいなく、腹の中で笑っていたりするのかもしれないのだ。僕は誰とでも仲良くしたし、誰に対しても敬意を持ってつきあってきたつもりだったのに、信じられないことであった。少なくとも、クラスの連中は全員仲良しの友達だと思っていた時期のことである。それなのに向こうは僕のことをそうは思ってはいなかったことになるのだ。僕は誰も信じられなくなっていた。僕はクラスの一人一人の顔をじっと見るようにして、様子を窺っていたのである。朝、お早う、と声をかけていた僕だったが、こっちからは挨拶《あいさつ》をしなくなったし、下校も一人で帰るようになるのである。誰かに相談してみたかったが、相談した相手がそれを書いた張本人だったらと考えて僕は無口になるのであった。

その日以降僕は、友達不信に陥り他人を警戒するようになるのだが、それまで普通に接してきた連中に不信の目をもって接するようになるのは辛《つら》いことであった。まあ、大人になるということはそういうことで、あのときの教師たちは僕にそれを十分いやというほど教えてくれたことになるのである。僕は確かに傷ついたが、他人なんてこっちが思っているほどには思ってくれてはいないものなのだなと考えさせられる結果となった。いい勉強になったわけである。

僕が学校には行きたくないと考えるようになったのは、ちょうどあの頃であった。友達不信、学校不信に陥った唯一《ゆいいつ》の時期だったのだ。僕はそれまで学校は大好きであった。友達が沢山いたからである。学校に行って友達に会えることぐらい楽しいことはないと信じていたのである。ところが、そんな僕があのXへの手紙を機に学校をしばしば休むようになるのだ。皆と仲良くしていると信じていた辻少年はあのとき、大きな挫折《ざせつ》を味わうのである。

そして僕は学校を休みだした。朝起きると何だか体がだるくて、学校に行きたくない病にかかってしまっていたのである。二、三日学校に行ってはまた一日休むという日が続くようになるのだった。学校でも友達たちとあまり話さなくなっていくのだった。僕は俯《うつむ》く少年になっていた。

誰かに気づいてほしいという、甘えもどこかにあったことはあった。しかし、はじめて友達を嫌いになった僕の病気はなかなか直りそうになかったのである。そして僕はずるずると孤立していくのだった。

そんな僕を救ってくれたのは、一通の手紙であった。ある日、学校に行ってみると、下駄箱《げたばこ》に緑色の封筒に入った差出人不明の手紙が入っていたのである。その文面はこんな感じであった。

〔最近元気ありませんね。学校にこない日もあるし心配です。私は辻君の笑顔が好きです。誰にでも優しく微笑《ほほえ》む辻君は私が学校に行きたいと思う、エネルギーの素《もと》でもあるのです。まだ、ちゃんと話したことはないけど、私は辻君の元気にいつも支えられています。早く元気になってください。あなたの友達より〕

僕の取り柄《え》は単純なところなのだ。そう、僕はその日以来その手紙の主のことだけを考えて、学校にまた元気に通いだしたのである。千人の敵よりもたった一人の友達は強かった。僕はその誰だかわからない友達のお蔭《かげ》でまた元気を取り戻すことができたのであった。教室の何処《どこ》かに、僕のことを応援していてくれる人がたった一人だけどいるんだな、と思うだけで僕は幸せな気持ちになった。気は持ちようである。

次の年の初春、僕は帯広から函館に転校することになったのだった。しかし結局、その女の子は最後まで名乗りでてこなかったのである。僕にはその子が誰だか見当もつかなかった。仕方がないので僕は全員に新しい住所を教えてから引っ越したのである。

それから数年が経《た》っていた。僕は高校生になっていて、学校生活をエンジョイしていたのだ。友達も増えて帯広の頃より友達の数は多かった。相変わらず男友達ばっかりではあったが、楽しい日々であった。

しかし、僕はずっとあの手紙の女の子のことが忘れられなかった。誰だろうとずっと考えていたのである。残念なことに彼女からの手紙はその後も届かなかった。どうしてあのとき確かめなかったのかと後悔する日々が暫《しばら》く続いていたのである。

随分と年月は経っていたが、高校二年の正月、それで僕は一計を案じて元のクラス全員に年賀状を出してみることにしたのだ。僕は名前を伏せることにし、中学二年のときのあなたのエネルギーの素《もと》より、と記しておいた。

そしたら案の定一通返事がきたのである。

ＰＳ．　多くの過去の友達たちが、現在の僕とつながっていないように、彼女とは、数か月の文通ののち、音信がとだえた。僕の記憶のなかには、鮮明に残っているのに、不思議な気がする。彼女が、誰だったのか、どんな人だったのか、ということがここでは詳しく書かれてはいないが、あえてそうさせて頂いた。できればこの部分だけ想像を働かせてほしいし、自分の周りの誰かと重ね合わせてほしいからである。

どんな人にも必ず彼女のような存在はいる。ただ、そういう友達はめだたず見落しがちな謙虚さを持っているのだ。

#「一番乗り」たけいち

幼い頃《ころ》から僕はヒーローというものを持ったことがない。プロレスラーや、野球選手に憧《あこが》れ彼らをヒーローと崇《あが》めるようなそんなごく普通の少年期の経験を持ってはいないということだ。せいぜいあしたのジョーという漫画の主人公矢吹ジョーが好きだった程度で、それとて所詮《しょせん》漫画の世界のこととわりとクールだったのである。

しかし、よーく考えてみると薄れた記憶の中に、一人それに当てはまる人物がいる。彼をヒーローと呼ぶのが相応《ふさわ》しいかどうかはやや疑問だが、まあそんなヒーローもおもしろかろうとここで紹介してみることにした。「一番乗り」というあだ名を持つ彼は、僕が中学校二年生のとき、鹿児島から移ってきた転校生で、本名を原田たけいちといった。

たけいちはとにかく学校に登校するのが異常に早かったのである。いつも一番乗りだった。彼より早く学校に登校する奴《やつ》はクラスの中にはいなかったのだ。つまり彼が登校してくるところを見たことがある者がいなかったということである。一時期たけいちは学校の用務員室にでも泊まりこんでいるのじゃないか、という噂《うわさ》さえたったほどであった。

ある日、僕はたけいちがどんなに早く登校するかを知りたくて、早起きすることにしたのである。正確な時間はもう今は思い出せないが、いつもより一時間は早い登校だったと思う。僕にとって一時間は非常に辛《つら》い早起きだったのである。子供ながらに凄《すご》い低血圧で、おまけに深夜放送ファンだったからだ。僕は前の日、早起きの父親にたのんで起こしてもらうことにしてねむったのである。

かくして僕はいつもより一時間早く登校することになった。誰もいない静かな廊下を僕は優越感にひたりながら踏みしめて教室を目指したのだが、なんとそこにはすでにたけいちがいたのである。たけいちは自分の机に座って早弁をしていたのだ。そして彼は僕と目が合うと余裕で、随分早いんだね、と笑うのだった。

僕は次の日、その悔しさをバネにいつもよりさらに一時間三十分早く起きることにしたのだが、その挑戦《ちょうせん》は僕の低血圧が原因で自爆となってしまった。僕にとって一時間以上の早起きは無理だったようなのである。おそるべしたけいちであった。

それから更に月日が流れて、あれは確か夏のはじめのことだったと思う。僕は深夜放送を聞きすぎて、徹夜をしてしまったのである。気がつくと時間は朝の四時三十分を少し回ったところであった。窓から覗《のぞ》くと、外は既に明るく、鳥たちの鳴き声がしていた。僕はもう今から寝たら起きれないなと観念して、外気を吸うために外にでることにしたのである。カーデガンを羽織ってドアを開けると、なんとそこにたけいちが立っていたのだ。たけいちは肩からたすきを掛け新聞の束を持っているのだった。彼は僕を見つけると、白い歯をにっと光らせて、随分早いんだね、というのだ。僕は正直いって面食らった。今思い返せば間抜けなことを聞いてしまったと反省するのだが、僕はそのとき反射的に、どうしてそんなことしてるのさ、と聞いてしまったのである。しかし、たけいちは肩をすぼめてみせ、恥じらうこともなく、家族のためさ、といったのだ。これは後で判《わか》ったことだが、たけいちには父親がいなく母親と妹の三人暮らしだったのである。叔父という人が生活の扶助をしていたらしいのだが、もちろんそれだけでは足りず、彼は僕らが寝ている時間にあくして家族のために働いていたのである。

僕がその日以来早起きを心がけるようになったのはいうまでもない。たけいちは立ち尽くす僕に新聞を一部手渡すと、くるりと背を見せ、その場をさっそうと走り去ったのである。原田「一番乗り」たけいち、彼は僕の中学時代の唯一《ゆいいつ》のヒーローであった。

P.S. 僕は中学生の頃、大の深夜放送ファンで、毎晩朝方までラジオの前にかじりついていた。ロックンロールを知ったのもラジオだったし、男と女の関係について（いわゆる性教育）教えてくれたのもラジオだった。あの頃の僕の一番の友達はラジオだった。

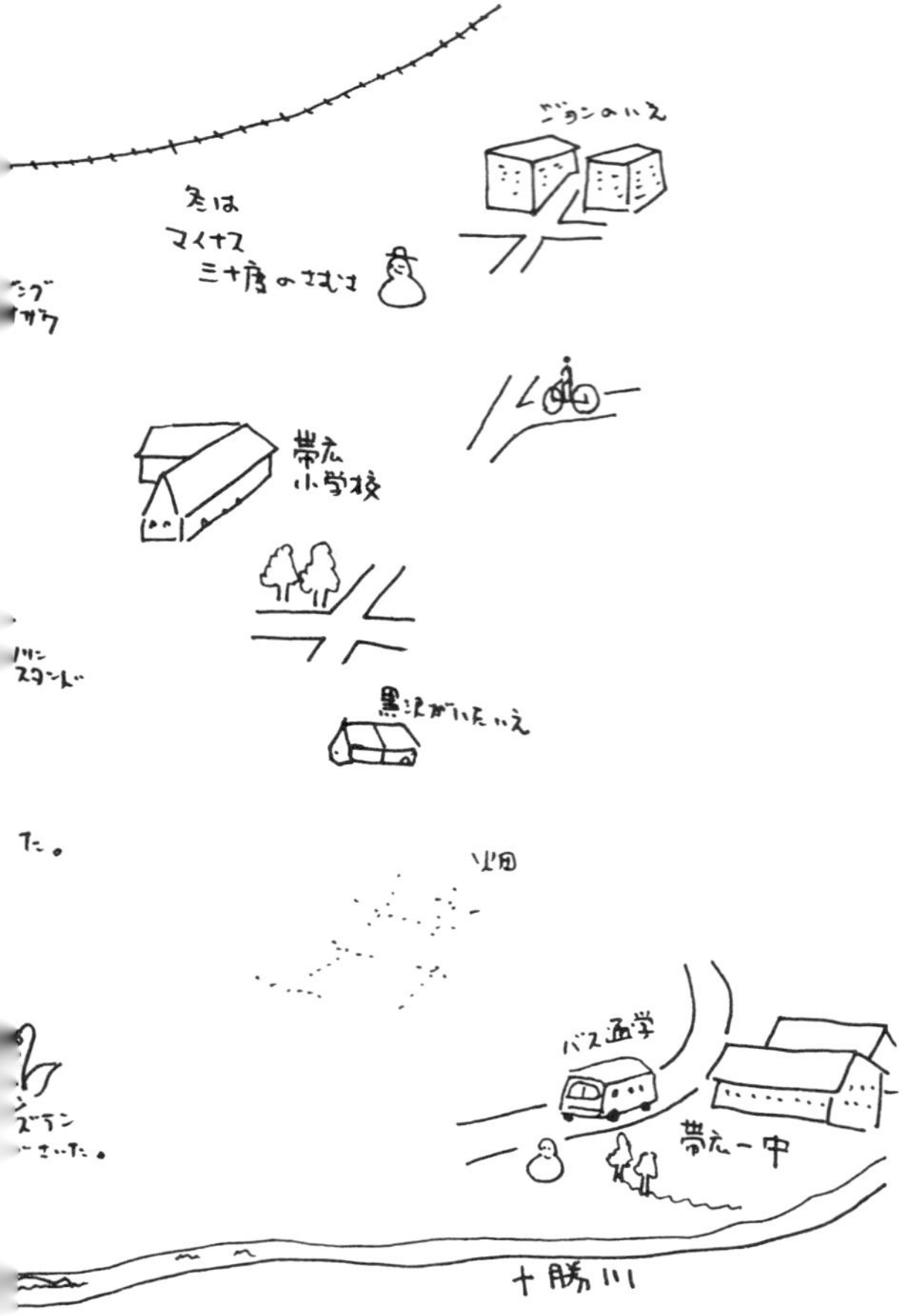
ゴランのいえ
冬は
マイナス
三十度のさむさ
帯広
小学校
黒沢がいたいえ
畑
バス通学
帯広一中
十勝川

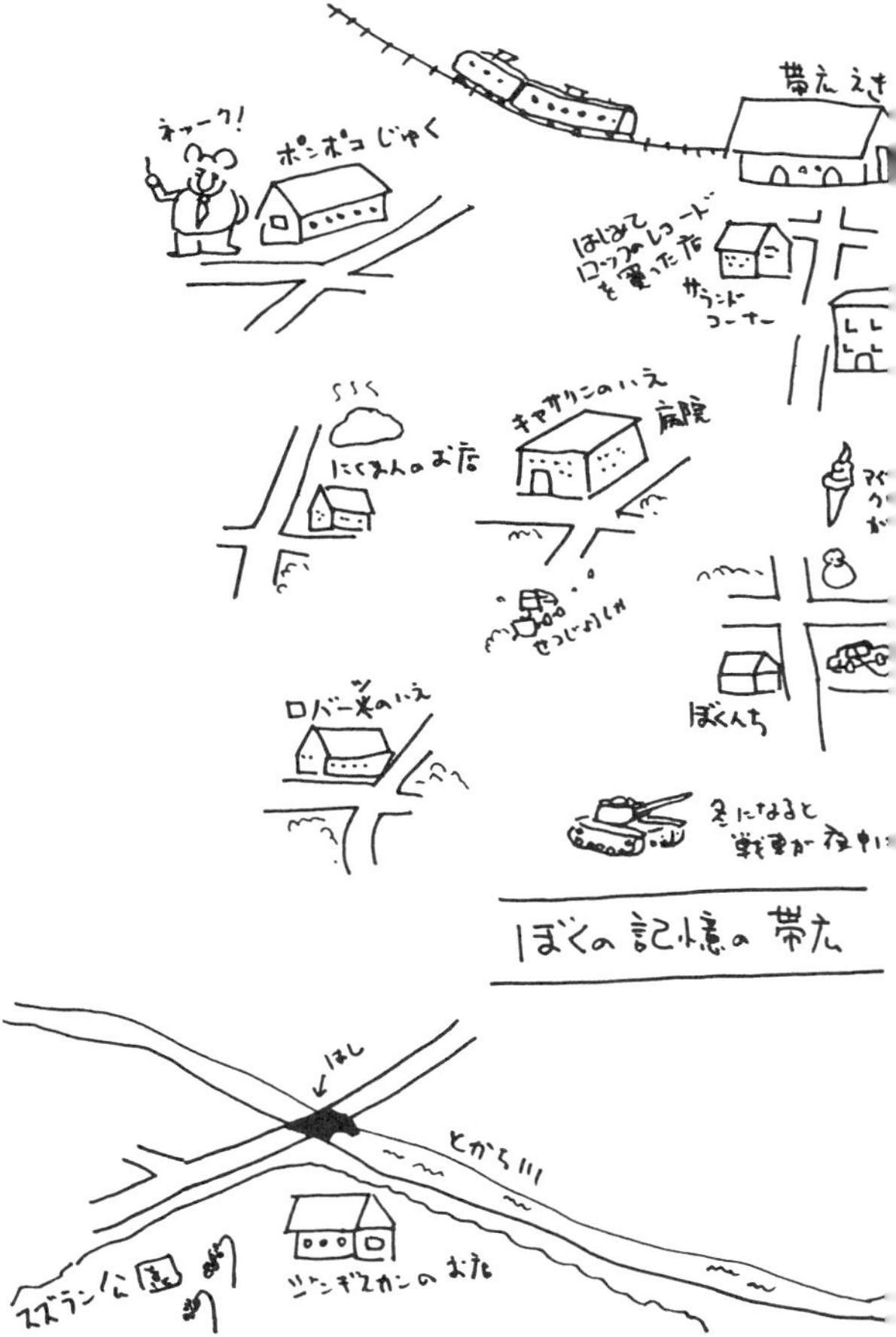

帯広えき
ネァーク!
ポンポコじゅく
はじめてロックのレコードを買った店
サウンドコーナー
キャサリンのいえ
病院
にくまんのお店
せつじょしゃ
ぼくんち
ロバーツのいえ
冬になると
戦車が夜中に
ぼくの記憶の帯広
はし
とかち川
ジンギスカンのお店
スズラン公園

白と黒の歌

そいつは絵描《えか》きになりたいといっていた。いつも画学生を気取って、カルトンを小《こ》脇《わき》に抱えて歩いていた。僕とそいつが知り合ったのは、学生街の小さな飲み屋だった。絵を描くのかい、と聞くと、まあね、と彼は少し自慢気に答えた。まだ、二十歳そこそこの彼の鼻の下でちょび髭《ひげ》が風に揺れていた。目だけはキラキラ、綺麗《きれい》な目をしていた。僕たちは、その日友達になった。

それから二人は、ほとんど毎日のように会った。まあ、大体飲んでいたわけだが、彼は常に夢に対しては前向きだった。

二十三歳までには必ず、個展を開くんだ。沢山の人が見に来て、僕はいっぱい握手を求められることになるだろう。そして評論家たちは口を揃《そろ》えて僕のことを、新しい才能の出現、と褒《ほ》め称《たた》えてくれるはずだよ。

僕はそんな彼の話を黙って聞いていた。まだアルコールの本当のおいしさが分からない年頃《としごろ》だった。

どんな画家になるのさ、と僕が聞くと、彼は笑顔で、暖かい絵を描く人になる、と答えた。そこで僕は彼に次の日の夜、いつもの飲み屋で、東君平さんの絵本、『二十一歳　白と黒のうた』を見せたのだ。

僕の叔父なんだ、というと、彼は、ふーん、と頷《うなず》いていた。これは版画なんだ、というと、彼は、ふーん、と頷いてじっと覗《のぞ》き込んでいた。僕にはすぐに分かった。彼は君平さんの絵が好きだってことを。彼の目は、何かを吸収しようと一層キラキラしていたのだ。

その日、彼は、その本を借りるよ、といって、持って帰ってしまった。

彼は毎日、絵を描いているようだった。彼の住んでるアパートを訪ねると、壁に描きたての絵が必ず数枚、貼《は》ってあった。君平さんの本を見せた頃から、彼の画風が、少し君平さんの絵に似だしていることに僕は気が付いていた。

しかし、そのことはいわないことにしていた。どう？　この絵、と尋ねられ、僕は、うん、いいんじゃない、と答えた。彼は、満足そうに笑みを浮かべ、そして僕たちは、夜、また飲みに出掛けた。

僕は学生だったが、彼は学生ではなかった。かといって働いているわけでもなく、親に仕送りしてもらいながら毎日アパートでただ絵を描いているという身分だった。

そのうち、世の中が、俺《おれ》を発見して驚く姿が目に浮かぶよ。彼は相変わらず、強気だった。僕の前では、いつも豪快に酒をあおり、夢ばかり語っている男だったのだ。

ところがある日、彼はぱったりと僕の前から姿を消した。飲み屋で待っていても、彼は現れなかった。彼のアパートを訪ねてみたが、表札もなく、すでにどこかへ引っ越した後だった。もちろん、彼に貸した君平さんの本は、戻ってこなかった。

僕は最近、古本屋で『白と黒のうた』を見つけた。懐《なつ》かしいなあ、と思いながらページをめくっていると、二十一歳という詩にぶつかった。恋もできず／角の酒店で／安酒くらって／いまにおれだって／いまにみていろと／下宿の裸電球にからむ。

……そこには、二十歳そこそこのあのときの彼がいた。

高校デビュー

中学生の頃《ころ》、同じクラスでまったく目立たない存在だったS子が、高校に進学した年の秋、突然、「高校デビュー」を果たした。S子は、どこのクラスにも一人や二人は必ずいる、典型的な幽霊生徒だった。眼鏡を掛けていて非常に大人しく、あまり笑ったり、自分から意見をいったりするタイプの子ではなかった。同じクラスのやっぱり目立たない女の子と、教室の隅《すみ》の方でひそひそと、（何について話しているのか男の僕には分からなかったが）話している姿をときどき目にする程度の存在だった。

ただ中学のときは、席がたまたま隣で、僕はよく彼女に消しごむを借りていた。僕は自分の消しごむを持っていたのだが、彼女の消しごむを使うのが好きだったのだ。借りるときも、いちいち、借りるよ、とは聞かなかった。黙って手を延ばして、使ったら、また黙って戻していた。そんな僕をあの頃彼女はどう思っていたのか分からない。僕のほうにしても、何故《なぜ》、S子の消しごむを、好んで使っていたのかは分からない。女の子として興味があったわけでもないし、ただ、何となく気になっていたのだ。あの当時、S子と少し話したことがある。僕がいつものようにS子の消しごむを黙って拝借したときのことだ。彼女は読んでいた本をすーと下ろして、僕のほうを向くと、「ねえ、辻君、私の消しごむはよく消えるの？」と聞いてきた。僕は、うん、よく消えるよ、と突っけんどんに答えた。そのとき、他にも何か喋《しゃべ》ったような気がするけれど、僕は一瞬上がってしまってその後のやり取りを思い出せない。ただ自分の世界に籠《こも》っていた人間の中に、入り込めたという嬉《うれ》しさでちょっと胸が熱くなったのだけは覚えている。もしかしたら、話し掛けられたくて、僕は黙って消しごむを借り続けていたのかもしれない。

そんなS子とは何かの縁で、共に同じ高校に進学することになった。僕は六組で、彼女は七組だった。同じ中学から進んだ者として、入学当時、廊下などで擦れ違うたびに僕は、元気でやってる？　と声を掛けたものだ。彼女は眼鏡の奥で、静かに微笑《ほほえ》み返してくれた。同じ中学だから、という同郷意識みたいなものが、まだあった時期のことである。

しかし、それも、入学してから、一、二か月のことで、お互いクラスに馴染《なじ》みだし、クラスメートという新しい地元意識が生まれると、僕たちは、廊下で出会っても、特に意識することが無くなっていった。僕は新しいクラスの中に、消しごむを借りる別の女の子を見つけたのだ。

そんなある日、高校生活も順調に進んでいた秋の日、同じ中学出身の仲間たちの間で、S子のことが話題に上りだしたのである。ついにS子が高校デビューを飾ったらしい、と。

高校デビュー。つまり、それまですごく大人しかった子が、高校へ進学した途端、活発で目立つ存在へと変化することを僕たちはそう呼んでいたのである。

S子が高校デビューを果たした、という情報が、僕には信じられなかった。夏の間に何かがあったらしい、というのが、もっぱらの噂《うわさ》だったが、同じ中学の、しかも同じクラスの、あのS子のことだけに、僕は、気になってしようがなかった。

もやもやとした気持ちが胸の奥につかえていたあるとき、僕は廊下で、S子と擦れ違った。体育祭を数日後に控えた、慌《あわ》ただしい放課後だった。彼女は、僕を見つけると、微笑み、辻君、と手を振ってきたのだ。誰だかまったく分からないほどの変貌《へんぼう》振りだった。眼鏡はコンタクトに替えたのか、していなく、髪の毛はそれまでのロングヘアーから、ボブカットへと変わっていた。唇《くちびる》には、リップクリームが塗られているのか、ほのかに、赤みがかっていた。

驚きで言葉を失い、ただ立ちつくす僕に、彼女は、物怖《ものお》じすることもなく話し掛けてきた。クラブ活動のことや、（彼女は放送部に入部していた）体育祭の実行委員をしていることなど。彼女は生き生きしていて、笑みが絶えず、まったくの別人だった。高校二年で、彼女はクラス委員になり、その後、放送部の部長に立候補して、当選してしまう。中身の変化は、まもなく外側も変えていくことになる。丸くてポッチャリしていた外見が高校三年になる頃には、輪郭がはっきりと女性らしさを増していくのだ。

逆に僕はいつの間にか、そんな彼女を遠くから見守る存在へとなっていた。高校三年のとき、夏の課外授業で、僕は久し振りに彼女と席を並べることになった。すっかり女らしくなった彼女を、僕は夏の眩《まぶ》しい光の中でみつめることができずにいた。そんな僕の筆箱に、彼女の手が伸びてきたのだ。そして彼女は黙って僕の消しごむを持って行ってしまった。

ちゃちゃ先輩が負けた理由

　僕は高校の頃《ころ》、はずかしながら柔道をやっていた。

　最初に断っておくが、柔道部に籍を置いていたからといって、僕はホモセクシャルではない。昨今、柔道やアマレスをしている者をホモと見る女性が急増しているのには、本当に驚かされる。

　僕がそんな女性たちの前で、少し自慢気に、柔道をかじったことがある、などというものなら、

「えー、うそお、辻君て柔道やってたの。ねえねえ、辻君男が好きなの？　だってさあ、青い畳の上で男どうし寝技とかするんでしょう、いやよねー、なんか不潔だわ」

　と、返ってくるのだ。

　こんなことをいう女は、迷わず火あぶりにしたほうがいい。こんな女を野放しにしておくから、日本の柔道が弱くなってしまったのだ。（同時にこいつらがきゃあきゃ

あ騒ぐから、日本バレーがいい気になって、弱くなったのである)

見わたす限り、うなじを刈り揃《そろ》えた渋カジ風の男ばかりになったのだ。硬派な男たちはすっかり影を潜めてしまった。硬派を気どろうものなら、あの頭の悪い女たちに、ださーい、と指をさされてしまうからだ。

ああ、硬派がなつかしい。今でこそ、辻も身を落としてこんな人生を歩んでいるが、学生時代は、硬派にあこがれ、硬派に生きていたのである。

函館西高柔道部は、学内でもっとも硬派とされる運動クラブであった。街中で部の先輩に出会おうものなら、どんな状況でも大声で、ちわーす、と挨拶《あいさつ》をしなくてはならなかったのだ。たとえそこが、交差点のど真ん中だろうと、家族連れでにぎわうレストランだろうと、映画館の中だろうと、デートの最中であろうとだ。今思い返すと、「バカだったなあ」と、笑ってしまうのだが、あの頃は大まじめだったのである。まあ、挨拶をしている自分たちの姿に酔っていたのかもしれない。

あの頃、僕には尊敬する硬派な一人の先輩がいた。

通称ちゃちゃ。本名を佐々木ひとし、といった。

当時、三年生だったちゃちゃ先輩は、柔道部の中でもとびぬけて硬派な存在であった。二段の腕前は、道南地区では負け知らずの柔道のチャンピオンであった。練習に対しては誰よりも厳しく、三分あれば、腕たて伏せが五十回はできるはずだ、というのが口ぐせでもあった。僕たち新入生の中では、そのむくつけき容姿とともに、鬼のちゃちゃ、と恐れられていたのである。

僕など、どれだけ、怒鳴られ殴られたことか。先輩はあまり口がうまくないせいもあり、気にいらないことがあると、まず言葉よりも先にその場で技をしかけてくるのだ。僕も一度、校門の前で関節技をきめられたことがあった。僕がつい練習が厳しすぎると口答えをしてしまったからだ。女生徒たちが下校していく中、僕はちゃちゃ先輩に路上で腕を固められてしまったのである。

「辻！　お前には俺《おれ》がいいたいことがわからんのか」

九十キロはある先輩の身体《からだ》で締め上げられた僕の腕が、よく千切れなかったと思うほど、あのときの関節技は効いた。

しかし、どんなに怒鳴られようと、殴られようと、僕たちは先輩が好きだった。無器用な硬派一直線は、部の中でもっとも愛すべき存在だったのである。

先輩には大変申し訳ないと思いながらも、僕はあの事件《こと》について今語ろうと思う。

（青春の一ページとして、笑って思い出していただけるなら、僕もうれしいのですが……）

あれは確か、夏の大会がおこなわれた松前《まつまえ》の試合会場でのことだったと思う。僕たち、函館西高柔道部は、道南大会のベスト8進出をかけて、北高校と対戦しようとしていたのだ。三年生たちにとっては、高校生活最後の試合でもあった。

会場には控え室がなく、選手たちは皆、外のグランドの木陰に茣蓙《ござ》を敷いて、試合の順番が来るのを待っていた。北海道とはいえ、真夏の太陽はまぶしく、キラキラと輝いていたのを僕ははっきりと覚えている。

自分たちの出番まではまだ一時間ほどの余裕があったので、昼食を済ませて僕たちは皆、茣蓙の上で雑談をしながらごろごろしていたのだ。高田先輩が二日ほど前に女子大生とHをしたと、爆弾発言をするまでは……。

高田先輩というのは、部の中でもちゃちゃ先輩とはまったく対照的な存在で、ゆかいで人あたりもよく、ついでにルックスもまあまあで、わりと女性にもてる人であった。

部員たちは、皆、高田先輩を囲んでその武勇談にきき入っていたのである。

「だからさ、ななえ浜の海岸でさ、東京から来た女子大生と、やったんだわ、暗くてさ、見えなかったけどさ、そりゃあ、えがったよ」

高田先輩の話は、実に臨場感があり、僕たち硬派な部員たちには、耳のいたい、下半身のいたい話でもあった。皆、股間《こかん》の上に手をあてながら、後学のためにと耳を傾けていたのである。

高田先輩は、暗がりの中、相手の女性の服をどうやって脱がせたか、そして、どうやってあそこをさぐりあてひとつになったかを、細かくみじん切りにするように僕たちに語ってきかせてくれたのである。

それはじつに、えっちな話であった。

高田先輩が寝技の指導をするように、一人の後輩を地面に押しつけて、あの瞬間を微に入り細にわたり再現していたときのことである。

突然、ちゃちゃ先輩の声があたり一帯に響き渡ったのだ。

「高田！」

僕たちは、その声でふっと現実に戻され、ちゃちゃ先輩のほうを振り返った。ちゃちゃ先輩は茣蓙の一番端に胡坐《あぐら》をかいて、ぎゅっと眉《まゆ》を一文字にして、こっちを睨《にら》んでいたのだ。試合前に、緊張感をなくすような話をした高田先輩をちゃちゃ先輩が怒鳴りつけるのだろうと、あのとき誰もが思っていたに違いない。

ところが、ちゃちゃ先輩は少しの間をあけて、こういったのである。

「高田、お前はいったいどこに入ったんだあ」

函館西高柔道部の部員たちの間に一瞬、ざわめきが起こった。僕は、ちゃちゃ先輩が何をいっているのか最初理解することができなかった。高田先輩もわからなかったようだ。

僕たちが皆、ポカンとしていると、ちゃちゃ先輩は不思議そうな顔をしてまたこういったのである。

「高田、俺はお前がその女子大生のどこへ入ったのか知りたいんだ」

つまり、こういうことである。ちゃちゃ先輩は、その硬派さのゆえ、十八歳になるその日まで女性に膣《ちつ》なるものがあることを知らなかったのだ。

他の先輩たちが、それから試合がはじまるまでの間、地面に女性の下半身の絵をかいて、必死になって説明していたのを、後方で見ながら、僕がどれほど笑いを堪《こら》えたか想像していただきたい。

「ちゃちゃ、じゃあお前、今まで子供はいったいどこから生まれてくるって思っていたんだ」

高田先輩がまじめな顔をしてそう質問すると、ちゃちゃ先輩は、目を点にして、こう答えたのである。

「肛門《こうもん》からじゃないのか？」

その日の試合で、西高はベスト8に進出できなかったことはいうまでもない。大将だったちゃちゃ先輩は、試合開始後、一分で寝技にもちこまれ、何を想像したのか、下半身を押さえたまま、敗れてしまったのである。

畳の上でうずくまり、くやし涙にむせぶ先輩を僕は今でも忘れられない。高校生活最後の試合だったのだ。本領を発揮することができず、頭の中を埋めつくした女の謎《なぞ》の部分に翻弄《ほんろう》された彼を、誰が責めることができよう。帰りのバスの中では、皆、下を向いて、言葉を交わすものもいなかった。ちゃちゃ先輩は一人、最後列の席にすわり、ずっとうつむいていたのである。

僕は硬派にあこがれた。その無器用なる男の生き方にあこがれた。あの鬼のちゃちゃが流した涙は、僕にとっては美しい宝石のようなものとして、今も心にやきついている。

佐々木ひとし、通称ちゃちゃ。彼は卒業後、警察官になった。

青柳青春クラブ

高校一年生のとき、僕は青春の真っ只中《ただなか》にいた。あの日々を思い返すと、もう戻ってこないきらめく時間のひとつひとつに胸が張り裂けそうになる。どうしてあのときはあんなに向きになれたのだろう。どうしてあのときはあんなに馬鹿《ばか》になれたのだろう。どうしてあのときはあんなにまじめに物ごとに取り組めたのだろう。下らないことでいい合いをし、ときには殴り合い、ののしりあい、そして腹の底から笑いあった。何をしても許された時代でもあった。純粋な敵意に溢《あふ》れた失われた日々。今はどんなに足掻《あが》いてもそれはもう取り戻せない青春の日々なのだ。

あの頃《ころ》、僕たちは高校から数百メートルほど離れた下宿に、連日連夜たむろしていたのである。護国神社へ向かう坂道の途中にその下宿はあった。青柳青春クラブと以前から呼ばれていたその下宿には函館の周辺部から出てきている農家の息子たちが数人下宿していたのだ。出入り自由の門限なし、というところがうけてかそこは不良たちの溜《た》まり場と化していた。生活指導の先生たちには目はつけられるし、近所からはうるさがられるしで、かなりの無法地帯だったのだが、しかし僕たちにはどうしても必要な聖地でもあったのだ。遊びに行けばどこかの部屋で必ずマージャンをやっていたし、煙草《たばこ》は勿論《もちろん》、アルコールは清涼飲料水がわりだった。そこに顔をだしているだけで仲間がどんどん増えていくのも魅力のひとつだった。そして僕と同じクラスの根岸もそこに部屋を借りている学生の一人だった。通称ネギ坊、ラグビー部の万年補欠男であった。

ネギ坊について少し語らなくてはならない。ネギ坊はラグビー部の部員ではあったが、体格がよく力もちだったので入学と同時に先輩たちにスカウトされ、鳴り物入りで入部したのだが、いかんせんその性格のゆがんだところと、天性の遊び人気質《かたぎ》が仇《あだ》となり、練習には顔は出さない、試合には遅れる、しかも喧嘩《けんか》っぱやくて手がつけられないの三拍子がそろい、ラグビー部のお荷物という烙印《らくいん》を陰で押されてしまったのである。まあ、僕としてはそんな奴《やつ》のほうが面白いので何となく付き合っていたのだが、ネギ坊と付き合えば付き合うほど僕にたいする風あたりも強くなり、彼とつるんでいるかぎり、よからぬ評判もついてまわることになった。しかし僕の通う函館西高等学校はわりとおとなしい学校だったので、番をはる奴もいず、だからネギ坊も僕も多少生意気にしても先輩に呼び出されることはなかったし、まあ順風満帆といった学園生活だったかもしれない。すくなくとも、ガンズ、が動きだすまでは。

そして僕は夜になると決まって家を抜け出し、ネギ坊の部屋へ通うのだった。僕自身は酒も煙草もマージャンもやらなかったが、（一応カッコづけのために煙草はふかす真似《まね》だけしていた）コミューンのようなあの下宿の自由な空気が好きだったのだ。僕はまあ大抵ネギ坊の横にいて、訪ねてくる不良たちに紹介されたわけだが、そうやって新しい仲間たちと知り合いになっていけるところも好きだった。いろんな奴らと知り合いになれるというのが、青柳青春クラブの一番の魅力だった。

そんなわけで夏が来る頃には、高校生活にも慣れ僕は西高のほとんどの不良たちと仲良しになっていたのである。青柳青春クラブはちょっとかわった新入生が連日たむろし、日に日にネギ坊の部屋はベースキャンプのバーと化していくのだった。ネギ坊でさえ知らない奴が寝泊まりしていたが、（例えば工業高校の番長とか、ラグビー部の卒業生とか）ネギ坊自身はまあそれでもそういうのには慣れているというか、もともと接客が好きみたいで、バーのマスターを気取ることすらあったくらいだった。

ところが、夏休みが近づいたある日、忘れもしない七月の暑い月曜日。青柳青春クラブはじまって以来の大事件が起きたのである。それは生活指導部による下宿の抜き打ち検査であった。抜き打ちは全《すべ》ての下宿を対象に行われたのだが、その真の狙《ねら》いは青柳青春クラブの実態調査とその壊滅にあったようだ。かねてから問題は多く、もともと町内からは悪の坩堝《るつぼ》と睨《にら》まれ、たびたびＰＴＡでも取り上げられていて、わりとそれまで寛大だった学校側もその対応に苦慮していたのである。夏休み前のその時期に抜き打ち検査が行われたのも、非行化が進む休みの前に悪の芽を摘んでしまおうという計算があってのことであった。

しかし僕たちはその日そうとは知らず学校をエスケープして、昼過ぎからネギ坊の部屋でうだうだしていたのである。部屋には僕とネギ坊と他にラグビー部のユンタとサッカー部のツカサがいた。四人は煙草をふかしながら、床にねっころがり猥談《わいだん》をしていたのである。僕たちの一番の興味はやっぱり女性のことだった。僕たちは青春特有の悶々《もんもん》の中にいたのである。

「女と付き合いてえな」

誰かがそういうと、一同はねっころがったまますぱーっと煙草のけむりを吐きだすのだった。

暫《しば》くするとまた誰かがいった。

「出来れば、めんこい女の子とやりてえな」

そして同感するように四人はすぱーっとまた煙を吐きだすのである。

「四組の明子知ってるべ、あの子な、処女じゃないって知ってるか」

ユンタがそういうと、少しの間のあとネギ坊が口を尖《とが》らせて、うーっ、と大声をあげた。僕たちもたまらず、うーっ、を真似てみる。下半身に力が入る。僕の目には見上げる天井の染《し》みが女性の裸体のようにうつっていた。

「ホントかいそれ、処女じゃないっての。真面目《まじめ》な感じがするのにな」

「真面目な女のほうが凄《すご》いらしいよ」

「そうそう、そうなんだわ、真面目な女はエッチらしいな」

「じゃあ、級長のなつみもそうかい」

「なつみか、なつみはどうだべな」

ちがうんでないかい、と力んでいったのは僕だった。僕は密《ひそ》かになつみのことが好きだったのである。僕たちはそしてまた取り留めもなく煙草の煙をながーく吐きだしたのである。

そのとき、階段を駆け上がるどたどたという尋常でない足音が青柳青春クラブ中に響きわたったかとおもうと、次の瞬間、抜き打ちだあ、という別の部屋からの叫び声があがり、そうこうするうちにネギ坊の部屋のドアがひきあけられ、僕たちを覗《のぞ》き込むガンズの鋭い二つの目が出現したのであった。

そしてそれは余りに突然のできごとで僕たちは煙草を隠すことができなかったのだ。皆手に手に火のついた煙草を持ち、ぽかんとガンズを見上げていた。

ガンズというのは生活指導の教師で、しかもラグビー部の顧問であり、鬼瓦《おにがわら》のような顔をした、とにかく西高の不良たちには唯一《ゆいいつ》恐れられていた怖い存在であった。ガンズが何故《なぜ》ガンズと呼ばれているのかは、僕らにもわからない。推測するにふだんからガンをとばしているような目つきをしていたからだろうが、僕らよりずっと先の先輩が付けたのだろうそのあだ名の余りのすごさには脱帽するしかない。

ガンズは何もいわずつかつかとネギ坊のところへまず歩みよると、彼が持っていた煙草を奪い取り、そしてネギ坊の頬《ほお》にびんたを張ったのである。ばしんという音が部屋中に響きわたった。僕たちはその音に言葉もなくただ煙草を握ったまま瞬《まばた》きも忘れてみいってしまったのである。ネギ坊がガンズに頬を叩《たた》かれたのは二度目だったのだ。僕は実際見たわけではないが、ユンタに聞いたところによると、ラグビー部にネギ坊が入部したての頃にそれは起こったらしい。練習をさぼりがちの彼をガンズは呼び止め皆の前でばしんと頬を張ったのである。そのときネギ坊は大声で、教師が生徒に暴力を振るっていいのか、と叫んだのだ。しかし、ガンズはネギ坊の目をじっと睨みつけて、お前のためにしたことだ、と一言いっただけだった。

僕はガンズの目を見ていた。他の三人には別に目もくれず、じっとネギ坊だけを睨みつけていたのである。僕は今でもあのときのガンズの後ろ姿が忘れられない。仁王立ちになり大学時代はクォーターバックでならしたという足のもも肉がズボンの上からこんもりともりあがっていたのである。何だよ、なぐることはねえだろう。ネギ坊はそう叫んだが、その言葉は恥ずかしいくらい負け犬の遠吠《とおぼ》えのように僕の耳には響くのだった。

「どうしてお前はそうなんだ。どうして部活に出て来ないんだ。俺《おれ》はお前が出てくるのを待っているんだ。こんなところでその神様が与えてくれた身体《からだ》を腐らせてそれでお前はいいのか」

何かが起こると僕はずっと身構えていたのだが、しかしそれ以上のことは起こらなかった。ガンズは一人一人の目を睨みつけて帰っていったのである。去りぎわ、一度振り返り、「ユンタ、明日ネギを連れてこいよ。ネギが明日部活に出るなら今度のことは大目にみてやる。いいな、それがお前の役目だぞ」といって出ていったのだった。

ガンズが出ていくとネギ坊は引きつりながら笑い、ちぇっ、何だカッコつけやがって、と呟《つぶや》いた。しかし、僕たちは誰もその後言葉を交わすこともなくその日は別れたのである。

僕が一番恐れていたのは、ガンズが僕たちを停学か退学にすることだったが、結局そうはならなかった。ユンタがいうには、ガンズはあれでもネギ坊をすごくかってるんだ、とのことだったが、しかしその当の張本人はガンズにたいする敵対心ばかりを燃やして、停学にならずに済んだことを感謝することもなく、(ガンズは僕たちのことを彼の胸のうちにとどめておいてくれたのである)むしろ咎《とが》められなかったのをいいことに、更に悪の道へと進むのであった。

青柳青春クラブも時の流れで少しずつ変化していた。二年生になる頃には僕は柔道の練習がきつくなり余り頻繁《ひんぱん》にネギ坊の部屋を訪ねることが出来なくなっていった。結果、クラス替えがあって僕とネギ坊が別々の組になったこともその原因ではあった。自然とネギ坊とも会わなくなり、僕は意外に真面目に部活と進学のための準備に向かうようになっていたのである。しかしネギ坊のほうは相変わらずで、学校中の悪《わる》を集めては連夜あきもせずどんちゃん騒ぎをくりかえしていたのである。余所《よそ》の学校の目つきの悪い連中が頻繁に出入りするようになって、僕は青柳青春クラブから離れていった。

「辻、金貸してくれないか」

そんなある日僕は校門のところでネギ坊に声を掛けられ、金をせびられた。僕が貸せないというと、じゃあ品物を買ってくれよ、というのだった。少し心配だったが、放課後屋上でレコードのバーゲンをやるから来いや、と誘われ、気にもなったのでいってみることにした。屋上にはネギ坊に誘われたと思われる連中が数人集まっていた。そこへ、ネギ坊が大きな紙袋をぶら下げてやって来たのだ。ネギ坊はいつの頃からかレコードを盗んで来て半値で売りさばく商売をしていたのである。彼のやり方はこうだった。まずレコードがすっぽりとはいるほどのバッグを用意し、それをもってレコード屋へ行く。そしてその袋を腹のところにもち、余った手でレコードを棚《たな》から二枚取り出す。見るふりをしたあと一枚は棚に戻し、もう一枚をその袋にいれるのだ。大体一回で二十枚くらい盗むのだが、味をしめたネギ坊は段々エスカレートしていき、注文をとるようになるのである。最初の頃はレコードだけだったのだが、そのうち洋服や電気製品にまで手をつけるようになったのだった。

僕は悪友としてでなく本当の友として、何度か忠告したことがあった。それは確かに犯罪だったし、その罪の大きさに気づいていない彼がかわいそうに思えたのだ。

「辻、お前もまるっこくなったな。きれいごと並べる奴はもう仲間じゃないぜ」

僕はそのとき、友の目つきが違っていることにはじめて気づき驚いたのだった。

そして三たびガンズとネギ坊の対決があったのはそれから間もない頃のことである。放課後、ネギ坊が盗んだ商品を教室の隅《すみ》で捌《さば》いていたときのことである。ガンズが教室に入ってきて、ネギ坊を囲んでいた生徒たちが四散した。噂《うわさ》はガンズの耳にも届いていたのだろう。生活指導の教師たちはこっそりと調査していたのかもしれない。ネギ坊の足下には沢山のレコードがあった。

ネギ坊とガンズが対決しているという誰かの声が僕の耳にも届き僕が急いで現場へ駆けつけてみると、二人は教室の最後部でじっと向かい合っていた。そしてまもなくばしんという大きな音が教室中に響きわたったのだ。ガンズがまたネギ坊の頰を張ったのである。僕は胸が痛かった。ガンズは更に無言でもう一度ネギ坊の頰を張った。今度は今までで一番大きなびんただった。これはお前自身のためにだ。彼の声にならない声が僕の耳には届いていた。

その次の日から今日までの間、僕はネギ坊の顔を見ていない。ネギ坊が学校を辞めさせられた、という事実が僕の耳に届いたのは北海道に短い夏が近づく頃だった。停学中だったネギ坊は別の学校の悪たちと駅前のデパートで万引きしているところを補導員に見つかってしまったのである。更生させようとガンズは学校帰りにネギ坊の松前の実家を何度も訪ねていたのに、もうガンズの力ではどうしようもないところにネギ坊はいってしまったのだ。

十五年振りに電話を掛けたユンタは、ネギ坊の消息についてこう語った。地元の暴力団に入り、ウニやアワビの密漁を繰り返していたが、二十代の半ばに組の金に手を付け、その後行方不明となる。母親から捜索願いが出されていたが、現在もその消息はあきらかではなく、殺されたという説もあるらしいのだ。

そしてガンズ先生は退職後、西高の近くの女子高で非常勤の教鞭《きょうべん》をとっているそうである。

青春の鉄則

高校二年の冬だった。函館は連日記録的な大雪でうんざりするほどの積雪を観測していた。屋根に積もった雪を落とそうとして、友達の父親が死んだのもあの冬だった。朝目が醒《さ》めて外に出ようとするとドアが積もった雪で開かないこともあった。僕たちは窓から外に出て、雪掻《ゆきか》きに追われたものだった。

あの頃《ころ》、僕は何故《なぜ》か歌ってはいなかった。歌っていたのはユミで、彼女は僕たちのマドンナだった。僕はそこでベースを弾いていたのである。ベーシストとドラマーは絶対数が少なくて何処《どこ》のバンドからもひっぱりだこだったのだ。まあ特にドラマーは楽器を持っているというだけでバンドにいれてもらえるほど貴重な存在だった。ドラマーが見つからないときはよく金持ちの息子を騙《だま》して買わせたものだった。僕が作ったロックバンドの鉄則にこういうのがある。「ドラマーがいないときは社長のドラ息子をおだてろ」実際僕もよくやった。君もスーパースターになれる、とかなんとかおだててわけのわからない奴《やつ》をよくひきずりこんだものである。ひどいときは買わせたものの叩《たた》かせなかったときもあったし、ロックなど聞いたことのない奴もいたのである。僕たちのバンドもごたぶんにもれずその口だったかもしれない。ドラマーのシローは社長の息子だった。それも信じられないくらいの大金持ちだったのだ。彼は叩いたこともないくせに、いきなり外国製の高級ドラムセットを購入してきたのである。そして彼は最初の練習のときこういってのけたのだ。「やっぱりさ、世界へでるには中途半端《はんぱ》はいけないもんね」アマチュアドラマーの三原則というのがある。金持ちの息子であること、力持ちであること、そして、馬鹿《ばか》であること。シローは全《すべ》てを満した完璧《かんぺき》なアマチュアドラマーの鑑《かがみ》であった、かもしれない。まあ、かくいう僕もベースを持っていたから入れて貰《もら》えた口なのだが……。たまたま僕の周りにベースを持っている奴がいなかったのだ。僕は他のバンドにも在籍していてそこではギターを弾いていたのだが、如何《いかん》せんそこは手頃な社長の息子が見つからずドラマー不在だったのである。やっぱりドラマーのいないロックバンドというのほど情けないものはない。ビートを刻む者がいないので、ノイジーなかぐや姫といったあんばいなのだ。ユミのバンドにはラディック（高級ドラムの名）を持ったドラマーがいる、という触れ込みは確かにそんな僕のフラストレーションをくすぐるものであった。それに、ユミは学校中の人気ものだったのである。彼女のことを好きな奴はごまんといたのだ。ユミを見守る会などというのまであって、下校時間になると校門の前で自閉気味の学生が数人まっていたりしたのだ。しかし、最初に断っておかなくてはならない。僕はユミを好きになったことはない。好感は持っていたがそれ以上にはならなかった。何といってもバンド解散の理由ナンバーワンはバンド内の恋愛問題に因《よ》るところが多いからである。ロックバンドの鉄則その二、「バンド内の恋愛の禁止」僕の知ってるプロのバンドの解散はやはり女絡みが非常に多かったことをつけくわえておこう。僕たちはお互いを牽制《けんせい》しあうように、最初の練習の後、何となくそのことを確認しあったのだ。

やめとこうな、バンド内で色恋沙汰《ざた》を起こすのはさ。――

そういったのはこのバンドのバンマスさとるだった。さとるは本当はユミが大好きだったのである。好きだったからバンドを作ったのだ。歌をうたうのが好きなユミに近づくために、このバンドを作ったのはまず間違いなかった。確かに奴はギターがうまかったが、何処か奴のギターソロは不純に満ちていた。

賛成、いちいちさスタジオでいちゃつかれたらやってけないもんな。――

そういったのはこのバンドのピアニスト、ケンタだった。実は後でわかったことだったが、このケンタもなにがしかユミのことが好きだったのである。ユミが後に僕に、ケンタが一番しつこかった、と教えてくれたのだ。その手口はカセットテープにピアノソナタか何かを録音して手渡す、というものであった。ピアニストはやることがキザでついていけない。

えっ、どうして、ねえ、どうしてバンド内でつきあっちゃいけないの。——そういったのは勿論《もちろん》、シローだった。シローにはこの駆け引きの裏側はまだみえていなかったようだ。社長の息子は細かいことは気にしないのである。

とにかく、僕たちはユミを中心にロックバンドを結成した。そんな超アマチュアな僕たちにも、夢はあった。バンドコンテストに出て優勝することだったのである。そしてそのコンテストはすぐそこに迫っていたのである。

最初の頃練習は放課後、友達の女の子のお父さんが持っている駅裏の煉瓦《れんが》でできた倉庫を借りて行われた。僕たちは雪の降る中、毎回せっせと楽器を倉庫の二階に運び上げていたのだ。それだけでひと苦労だった。練習時間より多くの時間がかかった。でも苦痛ではなかった。楽器を並べたり、チューニングをしたり、弦を張り替えたりすることを僕は十分たのしんでいたのだ。僕は練習が大好きだった。誰よりも早く練習する場所に行き、僕は一人楽器を磨《みが》いたりしていた。

そして皆で最初の一音をせえので出す瞬間がまた格別にたまらなかった。ギターの歪《ひず》んだ音が鼓膜を引っかき、ベースの重低音が下腹を押し上げる。オルガンの高音が頭のてっぺんをひっぱりあげ、ドラムが全身を弾ませた。そしてまもなくユミが歌いだす、澄みきった声は倉庫に反響し自然のエコーがかかる。閉ざされた冬の街の凍るような空気を震撼《しんかん》させるロックビート。僕たちは白い息を怪獣の火炎のごとくに吐きだしながら、ときどき目が合えば笑いあい、白い歯を光らせあった。最高の時間だった。

僕たちはスピーカーのボリュームをフルにして演奏し続けていた。まだ、メッセージ性より、ばかでかいサウンドに痺《しび》れていた頃のことである。でかい音は何より快感であった。音のうずの中に浸っていられることが、僕らにとって生きているという何よりの証《あかし》だったに違いない。倉庫は震撼していた。それは僕たちの魂と同調して唸《うな》りをあげていたのだ。

こんなことがあった。

その倉庫の持ち主、つまり友達のお父さんがある日近所の苦情で怒鳴りこんできたのである。僕たちは痺れまくっている最中だった。僕は狂ったようにベースを弾きまくり音の洪水《こうずい》の中でもだえていたのである。僕たちは頭を振り乱し、（映画ウッドストックで見たように）ぎんぎんだったのだ。フルボリュームで殆《ほとん》ど毎日演奏していたのだから、よくそれまで苦情が来なかったものである。函館の人は本当に我慢強い。

お父さんは顔を真っ赤にして怒っていた。僕たちは一人二人とそれに気づき演奏を中断していったのだが、さとるだけが最後まで気がつかなかったのである。彼は髪を振り乱しながらギターソロを弾きまくっていた。ガラス窓が振動でビリビリゆれていたので、相当でかい音だったに違いない。そしてお父さんはついにアンプのコンセントを引っこ抜いてしまったのである。

音が出なくなっても尚《なお》弾き続けていた彼を僕はそのとき一瞬尊敬したが、次にはさとるはそのお父さんの大きな握り拳《こぶし》で叩きのめされてしまったのである。僕の足元に転がってきたさとるが起き上がりざまにいった言葉を僕は今も忘れることができない。

函館は日本のＬＡだぜ。——

そして僕たちは次の日から練習場所を替えることになった。

雪はどんどん降り続いていた。僕たちは学校が雪のために臨時休校になっても、練習だけは休まなかった。

練習場所は市内のスタジオに変更になっていた。多少お金がかかったが、そこなら誰も文句はいわなかった。僕たちはそこで心置きなくロックすることができたのである。

なあ、皆でプロを目指して東京に出ていかないか。――さとるが休憩のときにそういった。

いいね、こんな楽しいことをして飯が食えるなんて最高じゃない。――そういったのは勿論僕である。この考えは今も昔も変わらない。

でも、世の中そんなに甘くないんでないかい。――ケンタは眼鏡の位置を直しながら水をさしてくる。ピアニストはどうしてこう夢がないのだろう。そうかと思うと突然わけもなく月へ行ってみたいだのとのたまうのだ。

やっぱり僕はついていけない。

だべ、やっぱやるんなら世界へいかねばな。――楽観的なのはシローのいいとこでもある。

そしてマドンナ、ユミは大きくため息をつくのだった。

どうしたユミ、お前スターになりたかないのか。大勢の前で照明を浴びて、精一杯自分の歌をうたいたいっていってたじゃないか。

さとるが偉そうにそういうと、ユミは小さくうなずいた。

そりゃ、プロになりたいよ。レコード出したいけど。でもさ、あたし家族のことがあるから。あたしんち父親がいないじゃない。妹と弟がいるからね、かあさんのお店の手伝いしなくちゃならないんだ。プロになったってさ、食えない人たち沢山いるらしいじゃない。家族のこと考えたら、冒険できないよ。

僕たちは、黙っていた。僕は何かいおうとしたが言葉にならなかった。僕たちは楽器を持ったまま暫《しばら》く下を向いていたのだ。そしてユミは続ける。

御免ね、夢のないことといってさ。家族のことがなければあたしだって試したいよ。自分の才能に賭《か》けてみたいよ。でも、コンテストはやるよ。凄《すご》いチャンスが舞い込んできたらあたしだって周りを説得できるもんね。

ユミの声はハスキーだった。かすれながら喋《しゃべ》る彼女を僕はそのときちょっといとおしいと思った。コンテストはやるというユミの発言は僕たちに微《かす》かな光を投げかけた。

さあ、次の曲をやろうよ。

ユミがそういってマイクを握りしめたので、僕たちは演奏をはじめた。

僕は一度ユミの母親がやる店を覗《のぞ》いたことがある。埠頭《ふとう》の傍《そば》の小さなスナックで、ユミは学校に内緒で夜に少し店を手伝っていたのである。彼女は僕が店に顔をだすと少し戸惑った顔をしたが、すぐに元気な笑顔を見せたのだった。ユミの母親が気をきかせてカウンターの端の席を僕に用意してくれた。

どうしたの、いきなりくるなんて、びっくりするじゃない。——

ユミはお酒を扱う店で働く姿を見られたくないようだった。

御免ね、冷やかしじゃないんだ。働いてるところをみたかったんだよ。——

彼女は僕にコーラをだしてくれた。僕はビールを注文したのにだ。僕はややきのぬけたコーラを飲みながら彼女の働きぶりを見つめていた。歌っているときとはまた全然違ったユミだった。大人の女の匂《にお》いがほんのすこし漂っていた。

三十分ほどして、彼女は家で待つ妹と弟を寝かせるために先に帰ることになり、僕らは少し外を一緒に歩こうということになった。

埠頭には青函《せいかん》連絡船が停泊していた。雪で閉ざされた港は照明を受けて一面青白く反射していた。僕たちはヤッケを被《かぶ》り、並んでその中を歩いていた。

大変だね。——

僕がそういうと、ユミは俯《うつむ》いてうなずいた。

まあね、でももうなれたわ、一年のときから手伝ってるからね。——

粉雪が舞っていた。さらさらした粉雪で掌《てのひら》の上に降りてもすぐにはとけなかった。

僕は彼女と違う人生を歩んでいることが、少しはがゆかった。しかし、彼女のために何かしてあげたいなどと自惚《うぬぼ》れるつもりもなかったのだ。積もった雪を踏みしめるたびに、ざくざくという雪の軋《きし》む音がした。

ちょうどよかったわ、あたしね、辻君に相談したいことがあったんだ。ちょっと悩んでることがあってね。

僕は立ち止まる。ユミは振り返る。

たいしたことじゃないんだけど、ひとりでは解決できそうになくて、それにね、あたしそういうこと相談できる女友達がいないんだよね。

ユミはそこで笑った。相談したいと頼られたことが僕はすごくうれしかった。彼女の瞳《ひとみ》が揺れている。僕の睫毛《まつげ》に止まった雪がとけて視界が滲《にじ》む。

あたし、もうどうしていいのかわからないの。――

僕はじっと彼女の目を見ていた。きつそうだった。

コンテストも近いのに、歌もちゃんとうたえない。皆に迷惑をかけてしまう。――

彼女はそういって黙ってしまった。それはとても長い沈黙だった。僕はどうしていいか分からずユミの腕を摑《つか》んだ。泣いているようだったが、僕には分からなかった。

そしてユミはこういった。

今度、相談にのってくれる。近いうちに相談にのってほしいの。

僕はこくりとうなずいた。彼女もこくりとうなずいた。

そして僕たちは歩きはじめた。


それから二週間ほどたって、ユミは駆け落ちをしたのだ。

初めて彼女が練習を休んだ日だった。コンテストが一か月後に迫ったやはり寒い日だった。僕たちは心配になって彼女の家に電話をかけてそのことがわかったのである。

時間がたつにつれて色々なことが分かってきた。駆け落ちの相手は噂《うわさ》によるとだが、店に出入りしていた常連客の三十歳になる会社員で、妻子のあるひとだということだった。駆け落ち先はどうも札幌らしいということだった。しかし僕たちにはどうすることもできなかった。何も知らなかったのだから、どうすることもできないのはあたりまえだった。それに相談されても、僕にはちゃんと答えてあげることができなかったかもしれない。男と女のことは、男と女が解決しなければいけないことだからだ。

僕たちは、そして、ユミ抜きでコンテストに出ることになった。ボーカリストの代役は急遽《きゅうきょ》僕がすることになった。自分たちの番がきて、僕らはステージにあがる。心臓は激しく高鳴っていた。何が何だか分からなかった。さとるは失恋の痛手ですっかり指が動かず、ソロを一小節ごとにミスっていた。ケンタもやはりさとると同様に覇《は》気《き》がなかった。シローが一人善戦していたが、流石《さすが》に後に社長になるだけの器をもっている男だった。僕は歌いながら色々なことを考えていた。どうして自分が歌っているのか。ユミは今頃どこで何をしているのか。ユミが選んだ男は間違いなかったのか。ユミは僕たちのことを忘れないだろうか。ユミの家族たちはこれからどうするのだろうか。そして僕たち残されたバンドのこと。

結局演奏はひどいもので、僕たちは審査員にお情けさえかけてはもらえなく失格となった。僕たちは肩を落としてその日は別れた。

そしてバンドはコンテストがおわった後すぐに解散となった。やはりユミの存在は大きかったのだ。シローが一人続けようと息巻いていたが、さとるにいたっては暫くたちなおりそうもないほどのおちこみようであった。

僕はあの時期を境に真剣に将来を考え始めたのかもしれない。必ず東京へ出ていかなくてはならない、と思いだしていたのもあの時期だった。僕はその後、シローを誘って新しいバンドを組んだ。やはり社長の息子は手放せなかったのだ。僕たちは東京に僕が出るまでいっしょに活動することになる。

シローは現在クリーニング屋の社長業をしている。函館ではかなり有名なクリーニング屋のチェーン店である。余計なことを考えない判断力が成功の秘訣《ひけつ》だったようだ。

ケンタは高校を卒業後、青函連絡船の技師になっていたが、一九八八年三月十三日に青函連絡船自体が廃航になってしまい、行方不明となってしまった。

さとるは自衛隊に入隊し、現在は帯広に駐屯《ちゅうとん》している第五師団の通信技師を続けている。

僕が高校の卒業式を終えてまもなく函館を離れようとしていた矢先、僕のもとにユミから一通の手紙が届いた。長い手紙で、その後の彼女が歩んだ道のりが書かれてあった。勿論僕たちのバンドのことにも触れてあった。いまでもときどき大きな声で歌いたくなると結ばれていた。全《すべ》てを投げだして自分のために道を選んでしまったことを、後悔はしていないとは書かれていたが、何処か気掛かりな様子も滲んでいた。弟妹のことについては何もふれてはいなかった。

そして僕は何度もその手紙を読みかえしたのだが、それ以上のことは手紙から読み取ることはできなかった。手紙には住所が書かれてなく、僕はしたためた手紙を彼女のもとへ投函することができなかった。

ロックバンドの鉄則その三、「決して諦《あきら》めないこと」

アイウオンチュー、アイニージュー、アイラビュー高校三年生頃《ごろ》になると僕は、進学か就職か決めなくてはならなくなり、自分の将来をかんがえるようになった。自然とクラスは進学組と就職組とに分かれてしまい、そこには目に見えない隔たりが生まれていたのだ。僕だけがまだ何時《いつ》までも自分の将来を決めかねていた頃のことである。僕は何だかクラスの連中としっくりいかなくなっていた。どうしても自分の将来をその時期に決定してしまいたくなかったからだった。進学指導の先生たちとは会えばいつもいい合いになっていた頃のことである。

十字街の電停裏にあったカフェレストラン「ギンザ」に通うようになるのもあの頃だった。どうしてその店が気に入ったのかは分からない。肉屋を経営する若夫婦が副業ではじめた店だったのだが、そのセンスときたら店の名前とどっこいどっこいで、いま思い起こせばどうしてあんなところへ通ったのかと首を捻《ひね》るほどなのだ。

ただ、その若夫婦をはじめそこに集まってきていた大人たちが僕には凄《すご》く新鮮で面白かった。背伸びをしたがる年齢の僕を皆可愛《かわい》がってくれたのだ。それで僕はいつごろからか学校帰りはまっすぐ「ギンザ」へ向かうようになるのだった。

まず最初に仲良くなったのは、その店のコックをしていた山野さんという髭面《ひげづら》の人だった。僕は普段ヤマさんと呼んでいた。店は大体いつもがらがらで、（そのせいだろうが、そこは一年もしないうちに結局潰《つぶ》れてしまうのだが）行くとヤマさんが暇をもてあました様子で店の前のごみ箱に腰掛けてドラムを叩《たた》く真似《まね》をしているのである。ヤマさんは僕を見つけるといつも微笑《ほほえ》んできた。断っておくが彼の料理が不味《まず》いわけではないのである。いや、その味ときたら十五年たった今でも思い出すことができるほどのうまさなのだ。特にそこのアメリカンクラブサンドウイッチときたら、あれは本当に天才的な味であった。店がいつもがらがらだった理由は、やはり「ギンザ」というネーミングのせいだったに違いない。

「辻君、やってる？」

ヤマさんは僕を見かけるといつも意味もなくそういってきたのである。それは彼独特の挨拶《あいさつ》だったのだが、仕方ないので僕は付き合いで笑ってうなずくのだった。

「ヤマさんはドラマーだったの？」

彼はスティックを振り回すふりをする。

「辻君もロックやってるんだよね。いいかい、ロックの基本はさ」

僕はいつしか彼の前のごみ箱に腰を下ろしていた。

「アイウオンチュー、アイニージュー、アイラビューなんだよ。ほれ、いってごらんよ」

そういうと彼は一人で、ドラムを叩く真似をしながら、アイウオンチュー、アイニージュー、アイラビューとでたらめな歌を歌いだすのだった。しかし、それは今の僕の基本テーマとなっている。当時は笑って半分馬鹿《ばか》にしていたのだが……。

もうひとり、泉一彦という人がいた。松風町《まつかぜちょう》にあったブティック・ベージュのチーフだった人だが、その人はまた僕に影響を与えてくれた大人の一人だった。彼はいつもポルシェで「ギンザ」にやって来ていたのである。ヤマさんに紹介されて知り合ったが、口髭をはやしキクチタケオの服で身をかため、その正体は僕には謎《なぞ》の人物だったのだ。カッコいいという反面、なんかいかがわしい感じの印象の人物であった。

初めて僕が彼のポルシェに乗せてもらったとき、僕はうれしいというより、何か凄くこわかったのを覚えている。ポルシェのドアは手前に引いてあけるのではなく、信じられないことに上に、つまり空に向かって開くのだった。まだスーパーカーブームがおこる前のことである。僕は父親の固いシートの国産車しかしらなかったので、そ

方ない。

はずである。その若さでどうしてあんな車に乗れていたのか、今考えても不思議で仕方ない。

のシートの革の感じは別世界の心地であった。泉さんは当時まだ二十四、五歳だったはずである。その若さでどうしてあんな車に乗れていたのか、今考えても不思議で仕方ない。

　そして彼の口癖は「どうせいつかは死ぬんだからさ、ばーんと好きに生きればいいんだよ、人間なんて」であった。彼は、お金なんていつだって何とかなるものさ、と豪語していた。進路について迷っていた僕にとって彼の自由奔放な生き方は一つの道しるべであった。

「辻君、なんか最近元気ないな」

　泉さんはギンザのカウンターに肘《ひじ》をついてそういうのだった。（彼は何かを喋《しゃべ》るとき、必ずポーズを作る人であった）

「どうした、そういえば近頃おとなしいんでないかい」

　ヤマさんはキッチンの奥から声をかける。

「いや、俺《おれ》は何をしたいのか、わかんないんだ」

　二人は顔を見合わせ、悩める子羊のために肩を竦《すく》めあった。

「卒業したあと、したいことがまだ見つかっていないんだ」

　泉さんは背広の内ポケットから葉巻を取り出してくわえる。

「なんかこのままでいいのかな」

僕がそういうと、二人は同時に微笑んだ。

「どうせいつかは死ぬんだからさ、ばーんと生きればいいんだよ、人間なんて」

と泉さんはいって僕の肩を叩き、

「アイウオンチューが足らないんでないかい」

とヤマさんはいって、僕の前にアメリカンクラブサンドを差し出すのだった。

「アイニージューもアイラビューも全然足らないんだよ。ほれ、これ食って元気だせよ、辻君」

そして僕はばかでかいアメリカンクラブサンドを頬張《ほおば》るのだった。

とにかくあの頃僕は「ギンザ」で何かを摑《つか》もうとしていたのだ。地回り風の大工さんとか、ヒッピーくずれのギタリストとか、挫折《ざせつ》した絵描《えか》きとか、恥ずかしがり屋の詩人とか、いろんな連中としりあったのも「ギンザ」であった。一生にかかわる大切なことを高校三年生という不安定な一時期に決めてしまいたくはないと考えていた僕にとって、その店で出会った彼らは人生の頼もしい先輩たちであった。もうあの店はないけど、あそこは僕の青春の避難場所だったのかもしれない。東京で生きる僕には勿論《もちろん》もうそんな場所はない。彼らとの思い出が僕を励ましてくれているだけだ。

すっかり髭を剃《そ》り落としてしまったヤマさんは、現在函館ロイヤルホテルで営業の仕事に飛び回っているし、泉さんはブティックを沢山経営して成功を収めているのだ。（泉さんとは、一緒に函館で同人誌を今年創刊した。『ガギュー』は函館という地方都市にこだわり続けた同人誌にしていきたいと話し合っている）僕は函館に遊びに行くたびに彼らと集まって飲んだり騒いだりしているのだが、不思議と彼らは昔のまんまの雰囲気で僕を迎えてくれるのだ。辻君は変わらないね、と彼らはいうけれど坊主《ぼうず》頭の高校生だった僕はもうそこにはいない。大人になった僕は東京という都会で必死に何かを捜し回っているのだ。

アイウオンチュー、アイニージュー、アイラビューだよ、辻君。——

挫《くじ》けそうになるとき、僕の耳にはヤマさんが歌うでたらめのロックンロールがこだまする。

夢の中へ

夢を見ない日がない。毎日、僕は必ず夢を見るのだ。それも朝起きるとちゃんとストーリーを覚えているのである。大抵が追いかけられる夢で、目覚めると汗をかいている。追いかけてくるものも様々で、幽霊だったり、借金取りだったり、鳥だったり、カメラマンだったり、警察だったり、ライオンだったり、ＵＦＯだったり、両親だったり、ときには札束を抱えた女だったりするのである。札束を持った女から逃げる奴《やつ》があるかとお叱《しか》りを受けそうだが、とにかく夢のなかでいったん逃げはじめると、その追っかけっこは僕が目覚めるまで必ず続いてしまうのだ。

夢の専門家ではないから自分の精神状態を分析することはできないが、追いかけられる夢を見る人の精神状態というのを僕は勝手にこう解釈している。つまり、追いかけられる夢を見る人というのは、現実の世界のなかで果たせぬ夢をいまだ追いかけ続けている人なのではあるまいかと。だとすれば、僕はなるほどと納得できるのであるが、どうだろう。

追いかけられる夢を見だしたのは、僕が東京に出て来たころからなのだが、きっと社会という大きな世界に飛びだしたことが原因していることはまず間違いない。皆そうだろうが、僕も必死だった。勿論《もちろん》今も必死である。その必死さが、そんな夢を僕に見させてしまうのだろう。

そして僕は最近、あの男はどんな夢に追いかけられているのか、と考えることが多い。あの男もきっと毎晩追いかけられる夢を見ているに違いない。あの男とはもう随分あってはいないが、生きているとすればまだこのまるい世界の上の何処《どこ》かにいて、毎晩やはり夢を追いかけて飛び回っているはずだ。


僕は十八歳だった。卒業式の日、僕は教室の窓側の一番後ろの席に腰掛けて、じっと眼下に広がる函館の市内の景色を眺《なが》めていたのである。僕が通っていた高校は函館山の中腹にあって、そこから市内を一望することができた。まっすぐ港まで伸びる石敷きの坂道にはまだ雪が残っていた。教会、煉瓦《れんが》造りの倉庫群、停泊する青函《せいかん》連絡船、トタン屋根の北海道独特の家々、そして遠く綿々と連なる雪を抱いた道南の山々、更にはてしなく続く澄みきった青空。僕は担任の長い別れの言葉を聞きながら眼下に広がる現実の世界を見下ろしていたのである。シンキは僕の席の前にいてやはり見飽きたかわりばえのしない景色を眺めていた。

「皆元気でがんばるんだぞ。これからは何をしても大人として扱われるんだからな。いいな、しっかりやれよ」

担任は目頭を熱くさせながらそういい、普段は反抗ばかりしていた不良たちも皆しんみりとしていたのである。

そして最後のチャイムがなり、僕たちの高校生活は終わるのだった。

「どうする、これから」

僕は鞄《かばん》に机のものを詰め込んでいるシンキに向かってそう聞いてみた。

「別に予定無しさ、時間はあるから、ビリヤードでもしていくかい？」

シンキがそういったので、僕は頷《うなず》いた。

十字街の電停裏にあるビリヤード場はがらんとしていた。僕らは四つ玉をすることにした。上着を脱ぎ、だれもいないビリヤード場で僕らは無言で玉突きをはじめた。ボールがあたる固い音が響く。カーテンの隙間《すきま》から差す白い光は、近づきつつある春の予感をともなっていた。

「辻は結局どうするんだ。これから先」

シンキはビリヤードが凄《すご》くうまかった。僕が彼に勝つのは三回に一度ていどであった。

「まだ、何にも決めてない。東京にはいくつもりだけど。多分予備校でも通って人生の勉強でもすることになるんだろうな」

シンキは笑った。

「いい身分だな。親のすねかじって大学で遊ぶつもりだろう」

僕は笑えなかった。

「小説を書いてたろ、あれはやめるのかい」

シンキはキューを高く掲げ、マッセのフォームをした。

「あんなもの」

僕はいつまでも書きあげることができないでいる自分が恥ずかしかった。あんなもの、といいかけて言葉がつづかなかったのだ。

「シンキはどうする？　就職でもするつもりかい」

シンキは狙《ねら》いが定まったボールを力いっぱい突いた。ボールは激しく回転しながら緑色のビリヤード台の上を走る。

「俺《おれ》はでかいことをやるんだ。そして有名になって金持ちになって、ばかでかい家に住んで、これ以上はできないっていう贅沢《ぜいたく》をするつもりさ。たった一度の人生だからな」

いきおいよくボールが次々にあたっていく。

「夢は最高の自由を手にいれることだ。そのためには何でもするつもりさ。今俺は人生が楽しくてしょうがないんだ。これからの俺はなんでもやれるもんな。誰からも文句はいわれない。大学なんかいってるやつはだめなやつらだよ。大学出たってトップになれるのは一握りの連中じゃないか。俺は違う、俺はもっと利口にやるんだ。世渡りのうまい人間になって成功してみせる」

シンキには僕にない野心があった。あのときの彼の目は眩《まぶ》しかった。世界中が彼に向かって吸いよせられているのではないかと思うほどのオーラがあったのだ。それに比べ僕には何をしたいのかというものがまったく決まっていなかったのである。僕は断然出遅れていたのだ。シンキがとてもうらやましかった。

僕らは夕方までビリヤードをして、それから学生服のまま、「見納めだ」といいあってロープウェイで函館山の頂上に登ったのだ。街明かりが灯《とも》りだし浮かび上がる函館市内の景色は、十五年たったいまでもちゃんと思いだすことができる。そして僕らは展望台の上から、大声で「あばよ」と叫んで、市内目掛けて唾《つば》を吐いた。

それからの僕らは高校を卒業するとそれぞれの道を歩きだしてばったりと会わなくなってしまった。僕はまだ迷っていたが小説を書きたいと朧気《おぼろげ》に考えながら大学へ通い、シンキは行方不明になってしまうのだ。

一度卒業してすぐ、函館の彼の実家に連絡を取ったのだが、電話に出た彼の母親は暗い声で、シンキが音信不通になっていることを告げるのだった。

それから十年以上の月日がたっていたろうか。東京に住む同窓生が集まって新宿でクラス会を開催することになり、僕は仕事の帰りに立ち寄ったのだが、なんとそこにシンキの姿があったのだ。テーブルの末席に座り、一人で酒を飲んでいる彼は確かに昔のシンキそのものであった。バーボンのグラスを傾けながら僕を見つけると、にこりと微笑《ほほえ》みかけてくるのだった。ただ、気のせいか瞳《ひとみ》の奥の輝きが感じられなかった。

僕らは翌日二人だけで会うことにした。場所を下北沢にかえて、おそくまで飲むことにしたのである。

「辻はヤクザになるものだとばかり思っていたよ」

彼はそういって笑っていた。僕と彼との間には長い年月の隔たりがあった。僕はその間の様々なことを彼に話したかったがうまく話すことができなかった。彼もそうなのかその口は重かった。

「この十数年、何をしていたんだい」

僕は一時間ほど飲んでほどよく酔いが回った頃《ころ》にそう聞いてみた。シンキはすっかりやつれていて目の下にひどい隈《くま》ができている。

「いろいろだよ」

彼はすぐに黙った。

「いろいろ何をやってたんだ」

僕は彼の横顔を見据《みす》える。

「本当にいろんなことだ。数え上げたらきりがないほどの仕事をしてきた。ソープランドのマネージャーや、右翼にも一時係《かか》わったし政治家の選挙運動なんてのも手伝ったよ。とにかく金の匂《にお》いのするものはねこそぎ全部手をつけたんだ。そうそうサラ金の取り立て屋なんて仕事についたこともあったな。いつだったか金を取り立てにいったらこんなことがあったよ。金を返せってすごんだら、いきなり死んでやるっていいやがった。気の弱そうなサラリーマンだとこちらも高をくくっていたとこはあったんだけどさ。だから俺は死ねるものなら死んでみろっていったんだ。そしたらさ、本当に死んじまったんだぜ」

彼は平然とした顔でそういうのだった。

「死んだのか？　どうやって？」

「ああ、首を吊《つ》ったんだ。どこかからロープをもちだしてきやがってさ。それで首を吊ったんだ」

僕は唾をのみこんだ。

「とめなかったのかい」

僕の声は震えていたかもしれない。

「だってまさか死ぬとは思わないから、勝手にしろっていって外にでたんだよ。十分ほど外で煙草《たばこ》を吸って戻ってみるとさ、奴《やっ》さん本当に死んでいやがった」

僕は言葉もなく黙っていた。突然話がそんなふうになって面食らったのである。

「そんな、黙って見てたみたいじゃないか」

僕は彼を責めるつもりじゃなかったのだが、口調はきついかんじだったかもしれない。

シンキは僕のほうを見て、静かに目を伏せた。

「仕方ないさ。そいつは死ぬしかなかったんだよ。今みたいに破産宣告なんてのがまだ流行《はや》る前だった。俺たちの取り立てもすごくシビアだったことは間違いない。でもな、俺の前で首吊った奴は、あちこちから何十件って借りまくっていたんだぜ。次々に借金をしては利子だけかえしてその場を食いつないでいたんだ。ほとんど病気だった。もうああなるとだめだな。金の感覚が麻痺《まひ》してしまってる。自分がわるいんだよ、誰かは社会がわるいっていうかもしれないけどね」

シンキはそこで唾をのみこんだ。

「まさか死ぬとは思わなかったけど、覚悟してたんだろう」

僕は友達の発する言葉一つ一つが耐えられなかった。どうしてそんなことをいうのか信じられなかった。

僕は何かいいたかった。彼も何かをいわれたかったかもしれない。しかし、僕らは沈黙した。長い沈黙だった。

「なあ、覚えているか?」

暫《しば》くして、シンキが先に口を開いた。僕は俯《うつむ》いたまま地面を睨《にら》みつけていた。

「卒業式の日、夢は最高の自由を手に入れることだって俺はいってただろう」

シンキの口元が僅《わず》かに笑っているような気がした。僕はこくりと頷いた。

「覚えているさ。俺はそういい切ったお前のことがうらやましくて仕方なかった」

シンキは目を瞑《つぶ》る。

「辻、自由なんてものはな、錯覚だったよ。どうしてもっと早く気がつかなかったのかと大笑いだ。自由なんていい加減な言葉の罠《わな》に引っ掛かってしまった俺も俺だ。底辺をなめまわして生きてきてやっとわかった答えがこれだもんな。情けないよ。自由なんて言葉は人を引きつける魔法に満ちているが、俺たちが頭に描いていた自由なんて、実際手に入れることは難しいのさ。世の中そんなに甘くはないんだ。首を吊った奴も、そして俺も、皆自由という罠にはめられた子羊だったというわけだ」

僕は目を開いたままシンキをにらみつけていた。大声を張り上げて反論をしようとしたのだが、言葉は声にならなかった。僕らは目をそらしたまま、黙って酒を呷《あお》るのだった。

そして今僕は、この東京という都会の片隅《かたすみ》で、一度でいいから何かを逆に追いかける夢を見てみたいと願っている。

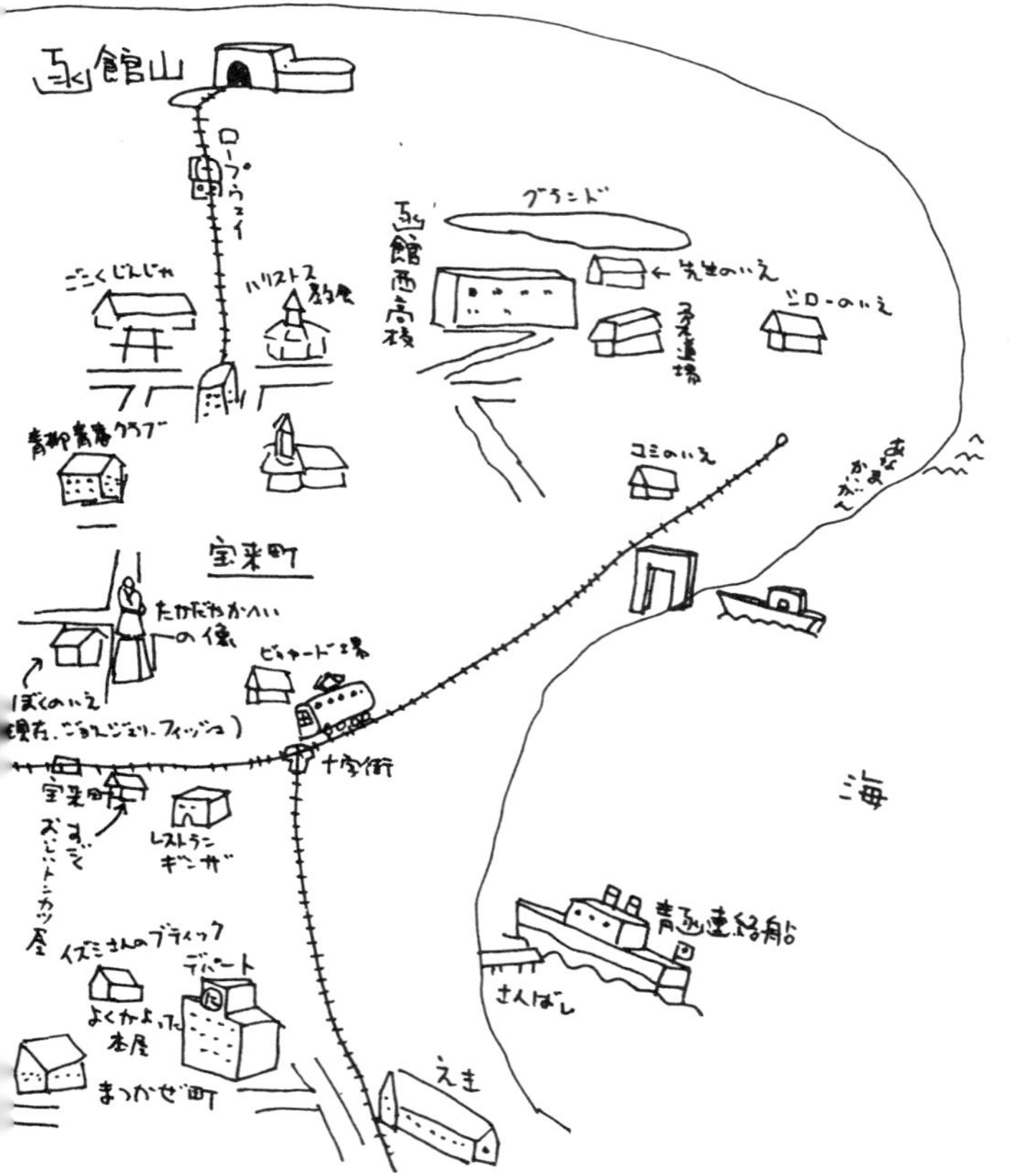

函館山
ロープウェイ
グランド
函館西高校
←先生のいえ
ジローのいえ
柔道場
ごこくじんじゃ
ハリストス教会
青柳青春クラブ
コミのいえ
宝来町
たかだやかへいの像
ビリヤード場
ぼくのいえ
十字街
宝来町
レストランギンザ
海
青函連絡船
イズミさんのブティック
デパート
よくかよった本屋
まつかぜ町
さんばし
えき

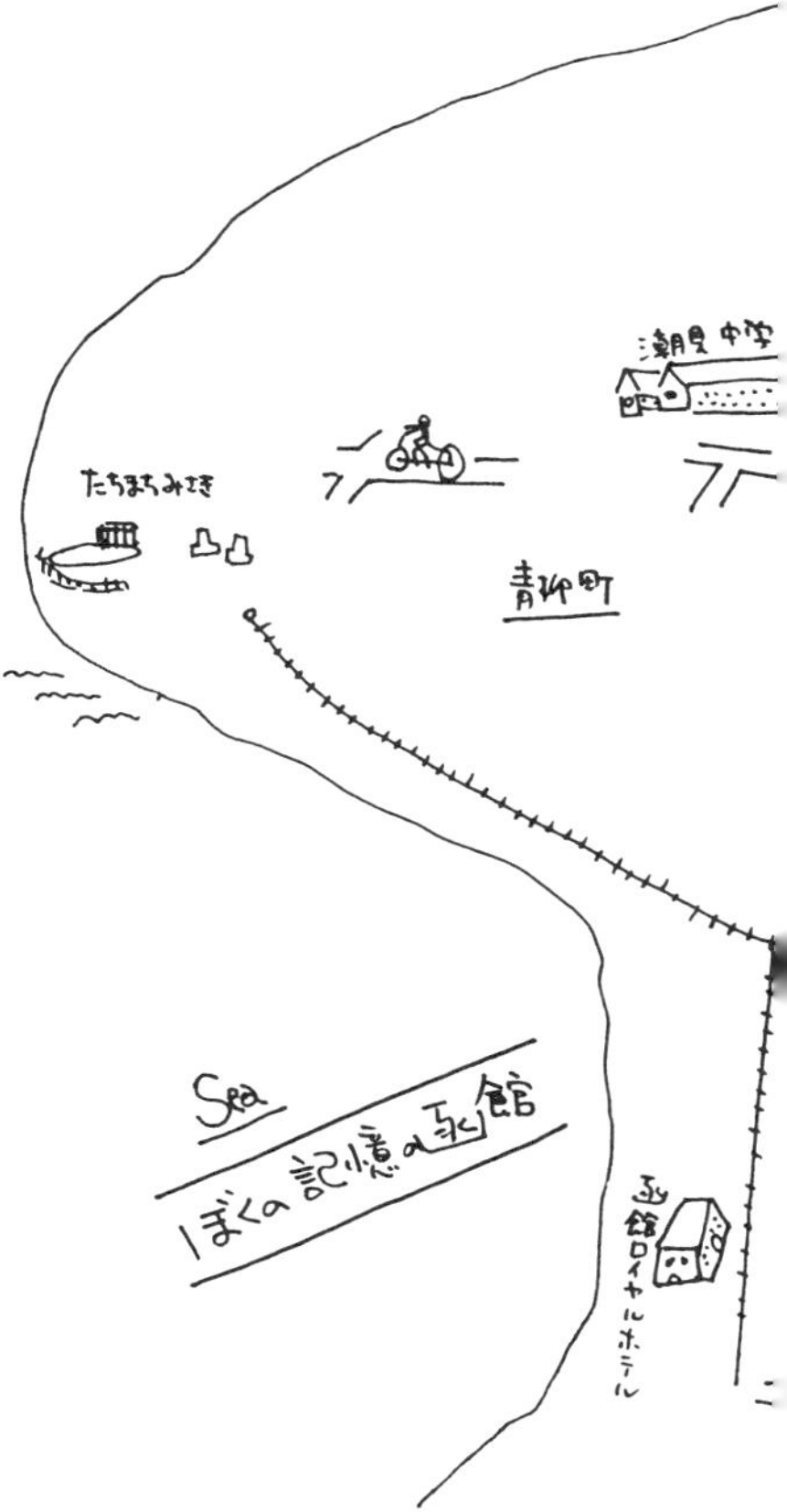
潮見中学
たちまちみさき
青柳町
Sea
ぼくの記憶の函館
函館ロイヤルホテル

しるし

　僕は学校が好きだった。毎日わくわくしながら学校に通ったものだ。学校にはいやな奴《やつ》も大勢いたが、好きな友達がそれ以上沢山いたからである。向こうは僕のことをどう思っていたのかは分からないが、構わなかった。僕はかってに彼らのことを友達だと思っていたのである。

　友達を作る、とよくいう。あの頃《ころ》先生や親は僕によく「いい友達をいっぱい作りなさい」といっていた。僕は彼らがそういうたびに「それは違う」と心の中で反発したものだった。友達は作るものじゃない、と今でも思っている。友達を作るなんて第一友達に対して失礼だ。第二に作った友達は偽物《にせもの》のような気がしたのだ。

　僕は友達は作るものではなく、自然に出来るものなのだと思う。僕にも友達が出来なくて辛《つら》い時期があったけれど、僕は決して友達を作ろうとはしなかった。つまり無理して誰かに合わせたりしてつきあうことはなかったのだ。僕はいつも自然にしていた。大人になってから、ああ、あの頃あいつは僕の友達だったのだな、と思い知らされた奴もいた。その頃は喧嘩《けんか》ばっかりしていたからである。後になってそうやって分かる友達もまたいいものだ。ともだちともだちといってつるんでいるだけが友達ではない。いつも一緒にいた奴らよりも忘れられない友達が後になっていっぱい現れたりするものである。だから僕は友達の間口をさらに大きくとらなくてはいけないなと最近思うようになった。友達という言葉には本当は僕らが想像しているよりももっともっと大きな意味がかくされているのだ。

ここに書いた友達たちは、僕の宝物である。きっと僕が死ぬまで大切に抱えていける、素晴らしい仲間たちなのだと思う。もう、今はどこにいて、どんなふうに生きているのかはわからない。ほとんどの連中と音信がないからだ。クニヤンのように僕が会いにいっても、僕の存在自体を忘れてしまっている人もきっと多いはずだ。それでも構わないと思う。あの頃は僕の中で永遠に残り、輝きを放ちつづけているのだから。

大人になった今、僕は学校を失ってしまった。毎日楽しみにしていた学校はもうない。社会にでてから今日まで、僕は孤独に仕事をしてきた。それでも一生懸命仕事がやれたのは、ふりかえると僕には素晴らしい仲間たちが大勢いたからなのだ。彼らと過ごした自然な日々は、僕の人生において大いなる大地となっている。そして僕はそこからすくすくと伸びる一本の木なのだ。僕の根っこは彼らと繋《つな》がり、僕は空を目指している。

最後になりましたが、文庫化にあたって尽力して下さった新潮社文庫担当の桜井京子さん、本当にありがとう。お酒の楽しい飲み方を勉強させて頂きました。また書籍担当の森田裕美子さんには、いつも温かく見守って頂き、感謝が尽きません。友人の、装丁家の新妻久典さん、角川書店時の担当だった幻冬舎の石原正康さんにも、この場を借りてお礼をいいたいです。

多くの方々の協力によってこの本ができたことをここにしるします。

一九九五年　春　　辻　仁成

解　説

――光の原風景

城　戸　朱　理

辻仁成からの電話は、いつも突然に鳴る。夕方のこともあれば、深夜のこともある。電話というものはいつだって突然にかかってくるもので、それは何も彼からの電話ばかりではないはずなのだが、そう感じるのには理由がある。

電話はたいてい酒場への誘いで、私は出かけては辻仁成と会い、酒を飲み、様々なことを語り合う。ビールやウィスキーのこともあれば、ブルゴーニュの赤ワインやグラッパを飲むこともある。二、三軒を渡り歩くのが普通で、気づいたら朝になってしまったこともあった。ところが――

辻仁成はどんなに酒を飲んだ夜でも、帰ってから必ず机に向かって小説を書くのだという。たとえ一行も書くことができなくても、そうするのが彼の決まりらしい。

それを聞いたときに私はとても納得がいった。彼は呼吸をするのと同じように、いつも何かを創《つく》り出さずにはいられない人間なのだ。いつも新しい構想を練り、小説と詩とエッセイを書き、ロッカーとして活躍するばかりか、最近では彼が愛してやまないアメリカのジョン・カサヴェテス監督と同じようにインディーズの映画まで撮ってしまった。彼は私の知る限り、休息するということを知らない人間だ。まるで詩神《ミューズ》にとり憑《つ》かれたように、何かを創造することに賭《か》けている。あるいは、それを自分の運命と考えているようなところがあって、そのエネルギーは端で見ていてもの凄《すご》いものがある。

ライヴやレコーディングがないときの彼の一日はそれほど変化に富むものではないらしい。ひたすら机に向かい、明け方までワープロのキイを叩《たた》き、そして就寝前にワインを飲む。ふと気づくと一日が、太陽の光と無縁のまま過ぎてしまうこともあるという。そういえば、とても印象的な言葉を彼が口にしたことがあった。

「ふと気づくと夕方近くなっていて、そう言えば今日は太陽に会ってないなあと思うと、それから公園に出かけて、太陽に挨拶《あいさつ》しに行くんです」

太陽に挨拶する。こうした辻仁成ならではの言い方を聞くと、自然から都市や人間に至るまでの彼の細やかな愛情と大胆な新しい世界との関係の持ち方が表明されていて、私は新鮮な不意打ちをくらい、快い驚きに満たされる。

彼は誰よりも忙しい。だからこそ辻仁成から電話がかかってくると、突然のことのように私は感じるのだろう。それは彼が、ほんの少しの間とはいえ、何かを創ることをやめて、休息のひとときを過ごすことを意味するのだから。

作家、詩人、ロッカー、そしてさらに映画監督。戯曲を書き、演出まで手がけたこともある彼の活動の幅の広さは驚くべきものがあるが、本書『そこに僕はいた』はエッセイ集だけに、軽やかな呼吸の文章で彼の仕事のなかでは、もっとも親しみやすいものと言えるかも知れない。

たしかに小説のように、現代と向かい合い人間の生の姿を問う構想や主題、あるいは詩の場合のように、テマティックな言葉が感覚の煌《きらめ》きに変化するようなことはないものの、だからこそ気軽に辻仁成の世界に入っていける一冊となっていて、飾らないストレートな文体とユーモラスな、それでいて少年期から青年期ならではの無垢《むく》な輝きに満ちている。

十八篇のエッセイは、作者の小学から高校までの出来事を物語る。ページのはしばしに少年・辻仁成と青年・辻仁成が生き生きと躍動している。背景はちょうど日本の高度成長期。同じ齢《とし》の私などには、様々なディテールが、ああ、そういえばそうだったと思い出される懐《なつか》しいことばかりであるが、もっと若い世代の読者であるならば、そうした部分にも新しい面白《おもしろ》さがあるだろうし、世代的な共感を超えて、少年や青年の屈託ない微妙な心理のあれこれに共感し、共鳴することができるのではないかと思う。手が届かない夢のお菓子、「ヨグール」。すごく凝っていたプラモデル。裏山に作った掘っ建て小屋の「基地」。眩《まぶ》しく見えた新聞配達の少年。大切にしていた手塚治虫の漫画。アマチュアのロックバンド。初恋、友人、転校、喧嘩《けんか》、夢——

プラモデルがファミコンに変わっても、そこには誰もが一度は経験する光に満ちた原風景があり、そして、今では多彩な活動を繰り広げる著者も、普通の少年、普通の青年だったことが語られていて微笑を誘う。

「僕はもともと、本は大嫌《だいきら》いだった。あの人参《にんじん》とピーマンと並んで、本は僕の三大苦手の一つであった」（「読書ライバル、ヨー君」）といったくだりを読むと、ひたすら元気に外を駆け回っていた少年の姿が彷彿《ほうふつ》とするし、本好きの友達へのライバル意識から次第に読書好きへと変わっていく様子などは、それが作家、辻仁成の出発点であるだけに珍妙なおかしさに満ち満ちていると言えるだろう。

ただし、このエッセイ集は、どこにでもいそうな少年が青年に成長していく途中の出来事を語っているのに、まるで普通でないところがある。それは全篇に共通している特徴で、著者の心理や内的な葛藤《かっとう》を語るときでも、必ずそこに友人が絡《から》んでくるということだ。少年は友人との出会いによって新しい世界を知り、青年は友人との別れによって世界の深さを知る。そんなことは当たり前だという人もいるかも知れない。しかし、本当にそうだろうか。ためしに小学生の頃《ころ》のことを思い出してみてもらいたい。何人の友達の名前と彼らの家の様子などを思い出すことができるだろうか。

その点で辻仁成は、普通ではない。「僕は彼らのことを憶えている」という印象的な一篇がある。辻少年が小学校四年生のときの話で、舞台は九州の福岡。登場するのは壱岐から越してきた自然児シャーマンと牛乳屋の子供クニヤンという二人の喧嘩友達。この話には後日談があって、後にテレビ局の企画で福岡を訪れた著者が、クニヤンと再会しようとしたところ、クニヤンは覚えていないというのである。辻仁成は「僕みたいに日本中を転校して歩いているものは、一時期のことをよく覚えているものなのである。逆にずっと一か所に止《とど》まって暮らしている人にとっては、僕のような一時期を通過していったものの存在は忘れやすいということなのかもしれない」とサラリと語っている。たしかにそうかも知れないが、それればかりではないだろう。

本書には実にユニークで様々な人たちが登場する。初恋の人、なかとみえみこ。大金持ちの息子、アリタ君。電車の事故で片足を失ったあーちゃん。新聞配達の少年。変わり者、ゴワス。読書ライバル、ヨー君。その姿が生き生きと描かれているだけに、エッセイとはいってても小説にも似た感触があって、その意味では、主人公の成長を描く教養小説（ビルドゥングス・ロマン）を読んでいるような印象と手応《てごた》えもある。注意深く読んで、順番を内容によって並べ変えてみると、辻仁成少年が青年になるまでの事件や心理が浮かび上がってくるようなところがあって面白いかも知れない。ともかく、小説を読んでいるような錯覚を覚えるのは、登場人物があまりにも鮮やかに活写されているからにほかならず、作者は少年時代から他者というものに深い関心を寄せていたことをうかがわせる。

それが、辻仁成という作家の、ひいては辻仁成という人間の大きな特徴ではないかと私は考えている。自己や自我に縛られて身動きがとれなくなるようなことは、彼には決してないのではなかろうか。それは世界というものを人間と人間の関係、人間と都市の関係、人間と自然の関係、そして人間と言葉の関係という関係性のなかで考え、人間にとっての自由というものを探そうとする辻仁成ならではの姿勢によるものではないだろうか。

だから、クニヤンが辻仁成を忘れても、辻仁成はクニヤンを覚えている。「僕は彼らのことを憶えている」というタイトルは、太陽に挨拶をしにいく辻仁成に、とても似つかわしいもののように、私には思われる。

「しるし」で彼は次のように語っている。「社会にでてから今日まで、僕は孤独に仕事をしてきた。それでも一生懸命仕事がやれたのは、ふりかえると僕には素晴らしい仲間たちが大勢いたからなのだ。彼らと過ごした自然な日々は、僕の人生において大いなる大地となっている。そして僕はそこからすくすくと伸びる一本の木なのだ。僕の根っこは彼らと繋《つな》がり、僕は空を目指している」

この言葉に説明はいらないだろう。『そこに僕はいた』という書名の「そこ」とは、そんな「大いなる大地」を意味している。そして著者は、読者が自分なりに「大地」を育《はぐく》んでくれることを祈りながら、このエッセイ集を書いたのではないだろうか。

私の知る辻仁成はとても友情に厚く、誰よりも熱い情熱家である。彼は自分が書くものによって、現代では見失われがちな何かを語り、訴える。そんな彼のひたむきな姿を見ていると、私は詩人アレン・ギンズバーグがボブ・ディランを語った言葉、「良心の世代の声」を思い出し、彼の後姿にそう呟《つぶや》いてみたくなる。

（平成七年四月、詩人）

この作品は平成四年十一月角川書店より刊行された。

辻　仁成著

海峡の光

芥川賞受賞

函館の刑務所で看守を務める私の前に現れた受刑者一名。少年の日、私を残酷に苦しめた、あいつだ……。海峡に揺らめく、人生の暗流。

井伏鱒二著

山《さん》椒《しょう》魚《うお》

大きくなりすぎて岩屋の棲家から永久に外へ出られなくなった山椒魚の狼狽をユーモア漂う筆で描く処女作「山椒魚」など初期作品12編。

井伏鱒二著

駅前旅館

昭和30年代初頭。東京は上野駅前の旅館を舞台に、番頭たちの奇妙な生態や団体客が巻き起こす珍騒動を描いた傑作ユーモア小説。

井伏鱒二著

黒い雨

野間文芸賞受賞

一瞬の閃光に街は焼けくずれ、放射能の雨の中を人々はさまよい歩く……罪なき広島市民が負った原爆の悲劇の実相を精緻に描く名作。

井伏鱒二著

さざなみ軍記・ジョン万次郎漂流記

直木賞受賞

都を追われて瀬戸内海を転戦するなま若い平家の公達の胸中や、数奇な運命に翻弄される少年漁夫の行末等、著者会心の歴史名作集。

井上　靖著

猟銃・闘牛

芥川賞受賞

ひとりの男の十三年間にわたる不倫の恋を、妻・愛人・愛人の娘の三通の手紙によって浮彫りにした「猟銃」、芥川賞の「闘牛」等、3編。

井上靖著
敦煌《とんこう》
毎日芸術賞受賞

無数の宝典をその砂中に秘した辺境の要衝の町敦煌——西域に惹かれた一人の若者のあとを追いながら、中国の秘史を綴る歴史大作。

井上靖著
あすなろ物語

あすは檜になろうと念願しながら、永遠に檜にはなれない〝あすなろ〟の木に託して、幼年期から壮年までの感受性の劇を謳った長編。

井上靖著
風林火山

知略縦横の軍師として信玄に仕える山本勘助が、秘かに慕う信玄の側室由布姫。風林火山の旗のもと、川中島の合戦は目前に迫る……。

井上靖著
氷壁

前穂高に挑んだ小坂乙彦は、切れるはずのないザイルが切れて墜死した——恋愛と男同士の友情がドラマチックにくり広げられる長編。

井上靖著
天平の甍
芸術選奨受賞

天平の昔、荒れ狂う大海を越えて唐に留学した五人の若い僧——鑒真来朝を中心に歴史の大きなうねりに巻きこまれる人間を描く名作。

井上ひさし著
ブンとフン

フン先生が書いた小説の主人公、神出鬼没の大泥棒ブンが小説から飛び出した。奔放な空想奇想が痛烈な諷刺と哄笑を生む処女長編。

伊坂幸太郎著

ラッシュライフ

未来を決めるのは、神の恩寵か、偶然の連鎖か。リンクして並走する4つの人生にバラバラ死体が乱入。巧緻な騙し絵のごとき物語。

伊坂幸太郎著

重力ピエロ

ルールは越えられるか、世界は変えられるか。未知の感動をたたえて、発表時より読書界を圧倒した記念碑的名作、待望の文庫化！

伊坂幸太郎著

フィッシュストーリー

売れないロックバンドの叫びが、時空を超えて奇蹟を呼ぶ。緻密な仕掛け、爽快なエンディング。伊坂マジック冴え渡る中篇4連打。

伊坂幸太郎著

砂漠

未熟さに悩み、過剰さを持て余し、それでも何かを求め、手探りで進もうとする青春時代。二度とない季節の光と闇を描く長編小説。

伊坂幸太郎著

ゴールデンスランバー

山本周五郎賞受賞
本屋大賞受賞

俺は犯人じゃない！　首相暗殺の濡れ衣をきせられ、巨大な陰謀に包囲された男。必死の逃走。スリル炸裂超弩級エンタテインメント。

江國香織著

犬とハモニカ

川端康成文学賞受賞

恋をしても結婚しても、わたしたちは、孤独だ。川端賞受賞の表題作を始め、あたたかい淋しさに十全に満たされる、六つの旅路。

新潮文庫最新刊

西村京太郎著
西日本鉄道殺人事件
西鉄特急で91歳の老人が殺された！ 事件の鍵は「最後の旅」の目的地に。終わりなき戦後の闇に十津川警部が挑む「地方鉄道」シリーズ。

東川篤哉著
かがやき荘西荻探偵局2
金ナシ色気ナシのお気楽女子三人組が、発泡酒片手に名推理。アラサー探偵団は、謎解きときどきダラダラ酒宴。大好評第2弾。

月村了衛著
欺す衆生
山田風太郎賞受賞
原野商法から海外ファンドまで。二人の天才詐欺師は泥沼から時代の寵児にまで上りつめてゆく――。人間の本質をえぐる犯罪巨編。

市川憂人著
神とさざなみの密室
女子大生の凛が目覚めると、手首を縛られ、目の前には顔を焼かれた死体が……。一体誰が何のために？ 究極の密室監禁サスペンス。

真梨幸子著
初恋さがし
忘れられないあの人、お探しします。ミツコ調査事務所を訪れた依頼人たちの運命の行方は。イヤミスの女王が放つ、戦慄のラスト！

時武里帆著
護衛艦あおぎり艦長早乙女碧
これで海に戻れる――。一般大学卒の女性ながら護衛艦艦長に任命された、早乙女二佐。胸の高鳴る初出港直前に部下の失踪を知る。

そこに僕《ぼく》はいた

新潮文庫　つ-17-1

平成七年六月一日発行
平成二十六年九月五日三十四刷改版
令和四年三月十日三十七刷

著者　辻《つじ》仁《ひと》成《なり》

発行者　佐藤隆信
発行所　株式会社新潮社
郵便番号　一六二―八七一一
東京都新宿区矢来町七一
電話　編集部（〇三）三二六六―五四四〇
読者係（〇三）三二六六―五一一一
https://www.shinchosha.co.jp

印刷・三晃印刷株式会社　製本・株式会社植木製本所

ISBN978-4-10-136121-5 C0195